# COMMENT TOUT
## PHOTOGRAPHIER

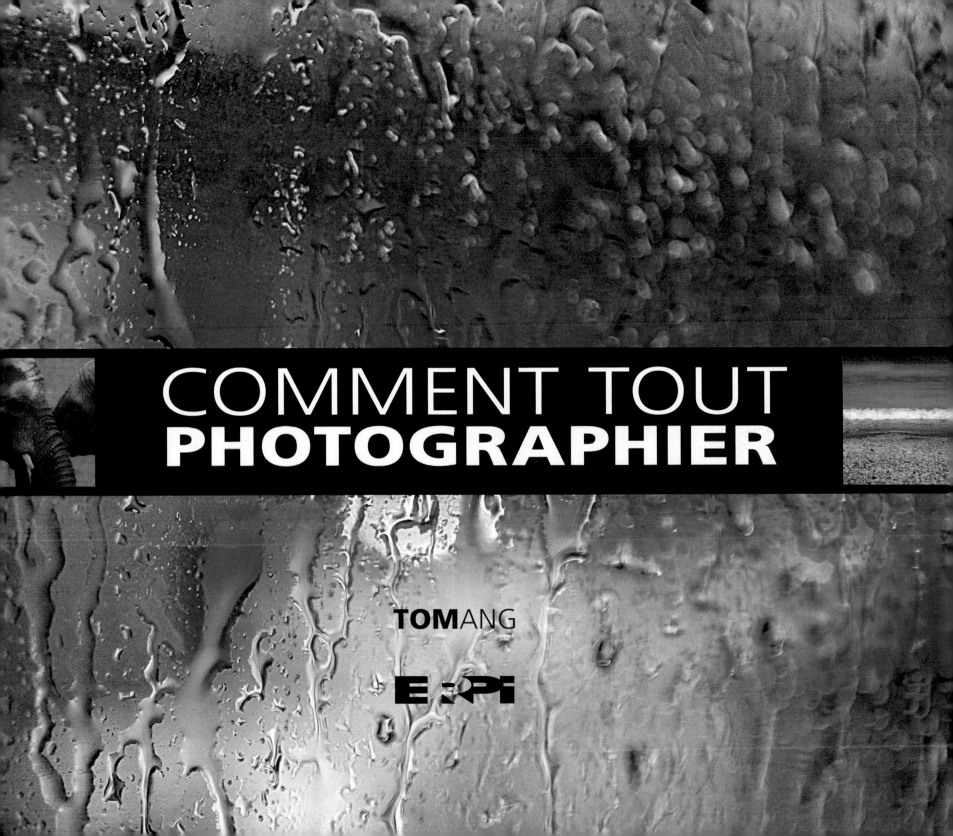

# COMMENT TOUT
# PHOTOGRAPHIER

**TOM**ANG

ERPI

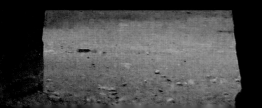

Un livre Dorling Kindersley
**www.dk.com**

Ce livre a été publié pour la première fois
en 2007, par Dorling Kindersley Limited
sous le titre de *How to Photograph Absolutely Everything*

© 2007, Dorling Kindersley Limited
Copyright Texte © 2007 Tom Ang

© 2008, PEARSON EDUCATION FRANCE pour l'édition française

Traduction : Bernard JOLIVALT & Gilles SECAZ
Réalisation PAO : Léa B.

© 2008, ERPI pour l'édition française au Canada

5757, RUE CYPIHOT
SAINT-LAURENT (QUÉBEC)
H4S 1R3

www.erpi.com/documentaire

Dépôt légal – Bibliothèque et Archives nationales du Québec, 2008
Dépôt légal – Bibliothèque et Archives Canada, 2008

ISBN 978-2-7613-3016-9
K 30169

Imprimé en Chine

Édition vendue exclusivement au Canada

à Wendy

09 Introduction

# 1 Les éléments de la photographie

12 Introduction
14 Quel appareil numérique vais-je choisir ?
16 À quoi faut-il aussi penser ?
18 Les réglages
20 La mise au point
22 Évaluer l'exposition
24 Le réglage du zoom
26 Le cadrage
30 L'espace graphique
32 Le temps et la durée
34 Saisir la lumière
36 Exploiter la couleur
40 Luminosité et niveaux
42 Balance des couleurs et saturation
44 Contraste et tons
46 Éléments gênants et netteté
46 Recadrage et redimensionnement

# 2 Les gens

52 Introduction
54 Portraits au soleil
56 Les jeux d'enfants
58 Les personnages en action
64 Instants de vacances
66 Créer une silhouette
68 Portraits d'enfants au naturel
70 L'instantané sur le vif
74 Les éclairages dramatiques
76 Portraits d'enfants posés
80 La photo de détail
82 La photo de beaux bébés
84 L'enfant année par année
88 L'autoportrait familial
92 Portrait de famille informel
94 Le portrait formel
96 Saisir l'esprit de la fête
98 Étude de nu
100 Le portrait de caractère
104 Personnages en situation
106 Galerie

# 3 Paysages et nature

112 Introduction
114 Un paysage de montagne
116 Les jardins en fleurs
118 Gros plans de fleurs
120 Fleurs et feuillage
126 Le paysage campagnard
128 La photo panoramique
130 Le paysage en noir et blanc
132 La lumière filtrant à travers les arbres
134 Les forêts embrumées
136 Saisons et intempéries
142 Réalité et réflexions
144 Les couleurs du rivage
146 Houle et déferlantes
148 Les eaux vives
150 Le calme de la campagne
154 Un paysage d'eau urbain
156 Les couleurs du crépuscule
158 Un clair de lune enjôleur
160 Les formations nuageuses
164 Galerie

# 4 Les animaux

170 Introduction
172 Portraits d'animaux de compagnie
174 Portraits insolites
176 Élégance équine
180 Les oiseaux en vol
182 Gros plans d'oiseaux exotiques
184 Les oiseaux des jardins
186 La faune sauvage familière
192 L'aspect naturel
194 La faune sauvage depuis une voiture
196 Autour du parc animalier
202 À l'aquarium
204 Mouvement sous-marin
206 Galerie

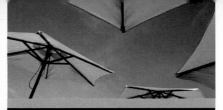

# 5 Architecture

# 6 Événements

# 7 Expression artistique

# 8 Autres applications

212 Introduction
214 Se concentrer sur les détails
216 Forme et espace
220 L'aspect carte postale
222 Illuminations nocturnes
224 Ruines romantiques
226 Vues abstraites
228 Vastes zones fermées
230 Intérieurs faiblement éclairés
232 Espaces intérieurs modernes
236 Repères urbains incontournables
238 Monuments phares du monde
242 Vitraux
244 Fontaines urbaines
246 Vie d'un pont
250 L'ancien et le moderne
252 Un horizon urbain remarquable
254 Les rues de la ville
258 Un paysage urbain nocturne
260 Gratte-ciel
264 Les reflets de la ville
266 La ville la nuit
268 Scène de rue en noir et blanc
270 Paysages urbains en voiture
272 Un paysage urbain
276 Galerie

282 Introduction
284 Une explosion de couleurs
286 Moments tout tracés
288 Une fête d'enfants
290 Photo de mariage
292 Détails du mariage
296 L'esprit du carnaval
300 Une démonstration de rue
302 La magie de Noël
304 Fêtes du monde
308 Concerts intimistes
310 Art dramatique
312 Le frisson de la course
314 Une production théâtrale
318 Galerie

324 Introduction
326 Explorer l'art
330 Netteté et flou
332 Traînées lumineuses de nuit
334 L'abstrait du quotidien
336 Couleur et lumière
338 Reflets
344 Natures mortes fortuites
346 Natures mortes
350 Chaos et motifs
352 Explorer les textures
354 Art urbain
358 Galerie

364 Introduction
366 Photographie pratique :
Photo pour enchères en ligne
Promouvoir des affaires
Vendre votre voiture
Consigner vos biens
Documenter un projet
de construction
Photographier des intérieurs
Photo revendicative
Carnet de route
Catalogue de collections
372 Ce que l'œil ne peut voir :
Lumière stroboscopique
Imagerie satellitaire
Photographies Kirlian
Photographie spatiale
Photographies galactiques
Imagerie infrarouge
Photographie à rayons X
Photographie à haute vitesse

376 *Glossaire*
379 *Index*

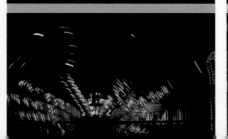
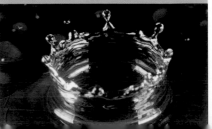

# Introduction

Ceci est un ouvrage unique, visant un but unique et de surcroît ambitieux : vous apprendre à photographier n'importe quel sujet ou toute situation que vous pourriez rencontrer. Il est bien sûr essentiel d'apprendre les techniques de base de la photographie, mais cela revient, en cuisine, à apprendre à émincer, faire sauter et revenir. Et sans les ingrédients, vous n'obtiendrez rien. Pour qu'un mets soit savoureux, il faut respecter la recette et savoir mettre les meilleurs produits en valeur. Ceci est un livre de recettes photographiques. Il montre comment créer des images fortes à partir des ingrédients de base que sont la couleur, la lumière et l'espace, puis comment les « faire mijoter » au travers de techniques telles que l'exposition, le cadrage et la mise au point. En appliquant scrupuleusement ces recettes, vous apprendrez peu à peu à photographier tous les sujets. Et en prime, vous découvrirez d'innombrables trucs et astuces que vous appliquerez lors des prises de vue délicates, et qui renforceront votre confiance lorsque vous serez confronté à des situations photographiques complexes.

# Les éléments de la photographie

1 2 3 4 5 6 7 8

**Les éléments de la photographie** sont présents dans toute image. Qu'elles soient prises avec l'appareil le plus simple ou le modèle le plus sophistiqué, voire avec du matériel scientifique, toutes les photographies sont produites par la lumière. Vous devez régler la quantité de lumière et parfaire la mise au point tout en composant l'image. Vous apprendrez dans ce livre comment combiner la mise au point, l'exposition, le zoom et le cadrage avec les ingrédients que sont l'espace, le temps, la lumière et la couleur, afin que l'appareil soit au service de vos images. Vous découvrirez aussi comment un logiciel peut améliorer le modelé, l'exposition, les couleurs, le contraste et la netteté.

# Quel appareil numérique vais-je choisir ?

Aujourd'hui, les appareils photo numériques ont tous d'excellents résultats et sont très agréables à utiliser. Les modèles pour débutants s'étendent du compact très simple à 3 ou 4 mégapixels et uniquement les réglages élémentaires jusqu'à des appareils de 5 à 8 mégapixels plus perfectionnés et plus rapidement mis en œuvre.

Certains modèles privilégient la qualité en limitant l'amplitude du zoom, tandis que d'autres proposent un zoom plus important, mais en réduisant le nombre de fonctionnalités. Les appareils plus coûteux offrent une meilleure résolution ainsi que des commandes plus ergonomiques et de meilleurs objectifs.

**COMMUTATEUR** Changement de mode ou de réglage du zoom (varie selon les modèles)

**ÉCRAN DE CONTRÔLE LCD** Affichage de l'image et des menus d'options

**DÉCLENCHEUR DÉMARRAGE DE LA SÉQUENCE D'EXPOSITION** Un bon appareil réagit rapidement

**VOLET PROTECTION** des connecteurs de liaison avec un ordinateur ou un téléviseur

**SÉLECTEUR MULTIFONCTION** Sélection des menus et des réglages

**TOUCHES DE FONCTION** Sélection des modes d'affichage et suppression des images (varie selon les modèles)

**ZOOM**

## LES COMPACTS DE GAMME MOYENNE

Les appareils compacts modernes offrent un zoom d'une amplitude d'au moins 3x (la focale maximale est trois fois plus longue que la minimale), un capteur d'au moins 6 mégapixels, la mise au point automatique, le flash intégré, une mémoire amovible, un viseur LCD (parfois une visée directe) et un choix de modes d'exposition.

## AVANTAGES

>> Compacité et légèreté
>> Facilité d'emploi
>> Bonne qualité d'image
>> Économiques à l'usage

## INCONVÉNIENTS

>> Autonomie parfois réduite
>> Affichage parfois peu lisible
>> Gamme d'accessoires réduite
>> Parfois, zoom peu fluide

**MOLETTE** Sélection des modes Programme, mesure de l'exposition, paramétrage et visualisation des images

**INTERRUPTEUR MARCHE/ARRÊT** Sur les bons appareils, la mise en route est rapide

## LES QUESTIONS FRÉQUEMMENT POSÉES

### Q QUEL VISEUR ME CONVIENT LE MIEUX ?

R Le viseur à cristaux liquides orientable est parfait pour les angles difficiles. Plus l'écran est vaste, plus il est confortable. Le viseur optique offre une image réduite mais commode quand la lumière ambiante est vive, et il se passe de la batterie.

### Q QUE SONT EXACTEMENT LES MÉGAPIXELS ?

R Le pixel est le plus petit élément de l'image. Plus ils sont nombreux, plus la photo est définie et détaillée. Un capteur est constitué d'un réseau de pixels : 8 mégapixels équivalent à huit millions de pixels.

### Q COMBIEN ME FAUT-IL DE PIXELS ?

R De 3 à 5 mégapixels suffisent pour le Web ou des tirages de taille moyenne, et 8 mégapixels conviennent à de nombreux professionnels. Le nombre de pixels n'est pas garant d'une bonne image. La qualité de l'objectif et du traitement de l'image compte aussi.

---

**MOLETTE DES MODES**
Règle les modes de scènes et autres fonctions

**VISEUR ÉLECTRONIQUE** C'est un petit écran LCD placé sous une loupe

**ZOOM** plus ample et de meilleure qualité optique

**ZOOM** à amplitude limitée

### LE COMPACT DES DÉBUTANTS

Facile à utiliser et présenté dans un boîtier très stylé, le compact d'entrée de gamme offre un exceptionnel rapport qualité/prix. Certains modèles sont étanches en cas d'intempéries, d'autres sont ultrafins, d'autres, encore, trapus pour les grosses mains. La gamme est très diversifiée.

### AVANTAGES

» Bon marché à l'achat
» Économique à l'usage
» Très facile d'emploi
» Léger et compact

### INCONVÉNIENTS

» Zoom parfois limité
» Peu ou pas d'accessoires
» Parfois lent à démarrer
» Limites vite atteintes en progressant

### L'APPAREIL SEMI-PROFESSIONNEL

Appelés « bridges », ces appareils peuvent avoir une qualité professionnelle et proposent de nombreux réglages. Pour réduire le poids et les coûts, la robustesse est parfois sacrifiée. L'objectif est de très bonne qualité et interchangeable, et ils acceptent un flash.

### AVANTAGES

» Photo de très bonne qualité
» Zoom de grande amplitude
» Accessoires et flash
» Mise en œuvre rapide

### INCONVÉNIENTS

» Plus encombrant et lourd qu'un compact
» Plus coûteux à l'achat
» Plus compliqué à utiliser

# À quoi faut-il aussi penser ?

Votre expérience et votre savoir-faire s'affirmant, vous désirerez élargir le genre de photos que vous prenez et améliorer les possibilités de votre appareil. Vous envisagerez alors l'acquisition de quelques accessoires. Certains, comme le trépied ou une unité de stockage pour les photos numériques, conviennent à tous les appareils. D'autres, comme un flash ou un zoom plus performants, dépendront de ce que permet votre appareil.

### UTILISER UN FLASH EXTERNE

Pour photographier lors d'une réception, d'un mariage ou tout autre événement se déroulant en intérieur, un flash EST indispensable. Votre appareil doit être équipé d'une prise de synchronisation. Le flash orientable permet de mieux contrôler la qualité de la lumière.

### AUGMENTER L'AMPLITUDE DU ZOOM

Si l'amplitude de votre zoom n'excède pas 3x à 5x, vous désirerez bientôt bénéficier de rapports supérieurs. Beaucoup d'objectifs peuvent recevoir un convertisseur spécial. Un réducteur de focale élargit le champ de prise de vue, un multiplicateur de focale augmente la puissance du téléobjectif.

GRAND-ANGULAIRE

STANDARD

TÉLÉOBJECTIF

LONGUE FOCALE

### UTILISER UN TRÉPIED

Un trépied garantit des images nettes, de grande qualité. Il réduit la fatigue lors de l'attente d'une belle lumière ou du passage d'un animal dans la campagne. Une tête à rotule (en haut à droite) est à la fois légère et facile d'emploi, mais une tête à trois axes (à droite) autorise un meilleur contrôle de l'orientation. Optez pour le trépied le plus stable que vous puissiez transporter confortablement.

### STOCKER LES IMAGES

Plus vous photographiez, plus il vous faudra de quoi stocker les images. Les unités de stockage récentes sont bon marché. Elles permettent de graver les photos sur CD ou DVD (en haut à droite). Pour un accès plus rapide, choisissez un disque dur externe (à droite).

## LES CARTES MÉMOIRE

L'appareil photo stocke les images sur une carte mémoire. La carte fournie avec l'appareil n'étant suffisante que pour quelques photos, vous devrez en acheter une autre. Choisissez-la de la plus grande capacité possible mais pas forcément la plus rapide, car elles sont conçues pour du matériel professionnel. Prévoyez une carte supplémentaire, car effacer des photos pour faire de la place est le plus sûr moyen de perdre les plus importantes.

### COMMENT SAUVEGARDER LES PHOTOS EN VOYAGE ?

Utilisez un disque dur externe équipé d'un lecteur de cartes. Insérez la carte mémoire, appuyez sur un bouton et le contenu de la carte est transféré. Cela fait, vous pouvez effacer la carte et la réutiliser.

### COMMENT TRANSFÉRER LES PHOTOS ?

Installez le logiciel de l'appareil sur l'ordinateur, puis connectez le câble de transfert de données. Ou alors branchez un lecteur de cartes à l'ordinateur : ôtez la carte mémoire de l'appareil photo, insérez-la dans le lecteur, puis copiez les fichiers sur le disque dur.

### COMMENT CLASSER LES PHOTOS ?

Ouvrez le dossier Images ou, s'il n'existe pas, créez un dossier Photos puis des sous-dossiers nommés selon le lieu ou la date. Copiez-y vos photos. Quand vous ouvrirez et modifierez une image, enregistrez-la immédiatement sous un autre nom afin de préserver l'originale.

## L'IMPRESSION

Les imprimantes modernes sont de bonne qualité, mais les consommables sont onéreux. Certaines imprimantes se connectent à l'appareil photo, d'autres lisent les cartes mémoire. Les deux techniques évitent le recours à l'ordinateur.

**» L'IMPRIMANTE À SUBLIMATION THERMIQUE** produit des tirages d'excellente qualité.

**» L'IMPRIMANTE À JET D'ENCRE** (en haut à gauche) peut tirer en grand format. Le contrôle de la couleur peut s'avérer délicat.

## LA PRÉSENTATION

Les photos peuvent être présentées de diverses manières à vos proches et au monde entier. Les visionneuses (en bas à droite) contiennent de nombreuses photos affichées tour à tour.

**» LES SITES DE PARTAGE** permettent d'y placer des photos qui seront visibles du monde entier.

**» LES SITES PERSONNELS** sont un excellent moyen d'exposer vos photos à votre manière.

# Les réglages

Les préréglages conviennent à la plupart des photographes amateurs. Mais, votre technique s'améliorant, vous deviendrez de plus en plus exigeant et désirerez régler vous-même votre appareil. Vous devrez alors apprendre à maîtriser tous ces paramètres et leurs effets.

**UTILISEZ LE MODE PROGRAMME.** Ce mode très automatisé permet néanmoins de corriger ou de modifier les réglages. Il vaut mieux éviter l'automatisme intégral – un pictogramme généralement vert –, car il empêche tous les réglages.

**SI DES MODES SCÈNES** sont disponibles – comme Neige, Macro, Paysage ou Sport –, utilisez-les car ils évitent de nombreux paramétrages et pérégrinations dans les menus.

**OPTEZ POUR LA QUALITÉ MAXIMALE,** mais évitez les enregistrements TIFF ou RAW, sauf si vous avez besoin de ces formats (pour l'impression en grand format). La taille d'une image peut toujours être réduite, mais la définition ainsi sacrifiée n'est pas récupérable.

**UTILISEZ LE BRACKETING** si votre appareil le permet, afin d'obtenir l'exposition correcte. Trois vues sont prises, avec de légères variations d'exposition : l'une d'elles devrait être correcte.

**MODIFIEZ LA SENSIBILITÉ ISO** selon l'éclairement. Augmenter la valeur ISO rend l'appareil plus sensible, permettant d'utiliser une vitesse plus élevée.

**TRAVAILLEZ EN MODE RAFALE** plutôt qu'au coup par coup. C'est un bon moyen pour déclencher à intervalles réduits. Si vous n'avez besoin que d'une seule photo, appuyez très brièvement.

**PRIVILÉGIEZ LA PRIORITÉ À L'OUVERTURE** lorsque la profondeur de champ compte. Vous la réglerez ainsi à votre guise (la vitesse s'adaptera en conséquence).

**SI VOUS CHANGEZ DE FUSEAU HORAIRE,** pensez à modifier l'heure et la date de votre appareil. L'archivage des photos sera ainsi facilité lorsque vous reviendrez chez vous.

**OPTEZ POUR ADOBE RVB,** si l'appareil le permet, et augmentez légèrement la saturation et la netteté dans les menus.

**PRIVILÉGIEZ LA PRIORITÉ À LA VITESSE** lorsque la durée de l'exposition est primordiale. Le 1/500 de seconde est indispensable pour la photo d'action, ou la seconde de pose pour obtenir des traînées de phares et de feux la nuit. La plupart des appareils sont réglables du 1/8000 à plusieurs secondes de pose.

# La mise au point

Presque tous les appareils récents sont équipés d'une mise au point automatique qui garantit presque à coup sûr la netteté dans certaines parties de la photo. Mais est-elle vraiment là où il le faut ? Car il ne s'agit pas de mettre au point n'importe où, mais sur la partie du sujet qui doit être nette. Beaucoup d'appareils mesurent la distance dans la zone centrale de l'image. Ce procédé est parfois commode, mais la mise au point n'en sera pas moins faussée si le sujet est décentré.

**DANS LE DOUTE, PHOTOGRAPHIEZ.** Il est préférable de risquer une image floue que pas d'image du tout. Si elle est un tout petit peu floue, vous améliorerez la netteté avec un logiciel de retouche.

**DÉCIDEZ DE CE QUI DOIT ÊTRE NET** et oubliez le reste. Si vous exigez une zone de netteté plus vaste que nécessaire, le temps de pose risque d'être exagérément long.

**FAITES LE POINT SUR UNE PARTIE DU SUJET.** Maintenez le bouton partiellement enfoncé pour mémoriser la distance, puis composez le cadrage. Mieux vous serez apte à le faire, plus fortes seront vos photos.

**SI L'APPAREIL PROPOSE LA MISE AU POINT PONCTUELLE OU MULTIPLE,** choisissez la mise au point ponctuelle centrale. Vous maîtriserez mieux la mesure de la distance sans être gêné par des éléments interposés, comme des poutrelles ou des branchages. De plus, l'appareil est plus réactif dans ce mode.

**SI L'APPAREIL NE PEUT METTRE AU POINT** parce que le sujet manque de détails ou est trop contrasté, mesurez ailleurs à distance égale, mémorisez, cadrez de nouveau et déclenchez.

**SI POSSIBLE, ACTIVEZ LA MISE AU POINT CONTINUE** s'il se passe beaucoup de choses autour de vous, si la distance entre vous et le sujet varie constamment et irrégulièrement.

**POUR UN SUJET TRÈS RAPPROCHÉ,** il est souvent plus facile de faire le point en approchant ou en reculant l'appareil qu'en réglant la distance.

**SI L'APPAREIL EST À PRIORITÉ À LA MISE AU POINT,** il n'autorise le déclenchement que s'il estime que la mise au point est bonne. Cela garantit des images nettes mais ralentit la prise de vue quand la situation évolue vite.

**APPRENEZ À FAIRE LE POINT MANUELLEMENT,** si l'appareil ou l'objectif le permettent. Les appareils compacts sont souvent dépourvus d'un réglage manuel, pourtant fort utile quand la distance doit être mesurée avec précision.

**SI VOUS UTILISEZ LE RETARDATEUR** afin d'être présent sur l'image, le cadrage doit non seulement être correct, mais la mise au point préalablement effectuée. Il est parfois plus facile de la régler manuellement.

# Évaluer l'exposition

Les appareils photo récents et la retouche informatisée tendent à reléguer les problèmes d'exposition dans le passé. De nombreux modèles analysent la scène et la comparent avec une base de données de scènes types afin de déterminer la meilleure exposition. De ce fait, les photos fortement surexposées ou sous-exposées sont moins fréquentes qu'auparavant. Mais ce n'est qu'une piètre consolation pour ceux qui ratent leur photo. Il est préférable qu'ils apprennent à maîtriser la technique de leur appareil.

**QUAND LA LUMIÈRE EST DIFFICILE,** mesurez l'exposition sur un élément intéressant de la scène, comme un visage. Centrez-le, mémorisez la mesure puis composez l'image. C'est le moyen le plus rapide de réussir l'exposition.

**DANS LE DOUTE, DÉCLENCHEZ.** Une photo imparfaitement exposée est préférable à pas de photo. Vous l'améliorerez avec un logiciel de retouche.

**LA LUMIÈRE LA PLUS FACILE** est celle qui, provenant de derrière vous, éclaire le sujet de face. Mais cet éclairage n'est pas le plus intéressant.

**EN PHOTO NUMÉRIQUE, IL VAUT MIEUX SOUS-EXPOSER.** Alors qu'une surexposition éteint et délave les couleurs, la sous-exposition améliore leur richesse tonale, surtout dans les teintes pastel.

**POUR AMÉLIORER L'EXPOSITION,** effectuez une mesure centrale pondérée ou spot. Elle ne lit qu'une faible partie de la scène et vous apprendrez à en tirer parti.

**SOUS UN SOLEIL DIRECT,** essayez d'avoir le soleil de côté afin que des parties du sujet soient éclairées et d'autres dans l'ombre. Une mesure faite dans des zones où se mêlent les ombres et la lumière est généralement bonne.

**LES ÉCLAIRAGES EXTRÊMES,** à contre-jour ou avec des lumières dures, compliquent la mesure de l'exposition. Si vous en avez l'occasion, vérifiez l'image puis refaites la photo en réduisant manuellement l'exposition.

**QUAND LA LUMIÈRE EST MAUVAISE** ou que le sujet est en mouvement, augmentez la vitesse en modifiant la sensibilité ISO. Plus élevée, elle permet de prendre des photos nettes en perdant seulement un peu de la qualité de l'image.

**LE POSEMÈTRE PRÉFÈRE LES TONS MOYENS.** Une peau légèrement bronzée, de l'herbe verte sous une douce lumière, un ciel bien bleu...

**L'EXPOSITION CORRECTE D'UNE PHOTO** dépend du type d'image que vous comptez obtenir. Si un ton doit être parfaitement rendu – visage, fleur, élément du paysage, etc. –, exposez pour cet élément. Le reste de l'image viendra comme il viendra.

# Le réglage du zoom

La conjonction d'un prix raisonnable, de bonnes performances et d'un encombrement réduit, a fait le succès du zoom. Il place entre vos mains une grande puissance optique, avec en prime l'excitante possibilité d'aborder la plupart des nombreux aspects de la prise de vue.

**LE MEILLEUR MOYEN D'UTILISER LE ZOOM** est de décider de la partie de la scène à photographier, puis de la cadrer avec le zoom. Vous serez souvent tenté d'utiliser les focales extrêmes, mais si vous avez le temps, un réglage plus fin sera plus profitable.

**SE RAPPROCHER OU S'ÉLOIGNER DU SUJET EST SOUVENT PRÉFÉRABLE AU ZOOM.** Procéder ainsi vous oblige à considérer d'autres points de vue et vous apprend à mieux regarder.

**SI VOUS AVEZ UN REFLEX, DONNEZ DU MOUVEMENT À L'IMAGE** grâce aux effets spéciaux. L'appareil étant réglé en pose longue, zoomez sur le sujet en avant ou en arrière. Pour un effet réussi, l'appareil doit être parfaitement immobile afin que les traînées soient rectilignes.

**CALEZ LE ZOOM SUR UNE FOCALE FIXE** (grand-angulaire, téléobjectif, ou focale moyenne) et n'y touchez plus de la journée. Vous découvrirez qu'en évitant de régler le zoom vous photographierez plus vite et de façon plus décisive.

**EN MODE TÉLÉOBJECTIF,** veillez à ce que l'appareil soit bien immobile, car le risque de bougé est plus important aux focales longues.

**DANS LE DOUTE, CHOISISSEZ LE GRAND-ANGULAIRE** et cadrez large. Vous pourrez toujours recadrer ultérieurement (alors que vous ne pourrez jamais rajouter ce qui manque).

**ÉVITEZ LE ZOOM NUMÉRIQUE** car il ne fait que grossir une petite partie centrale de l'image. La résolution finale étant ainsi réduite, le résultat du zoom numérique est toujours décevant.

**POUR QUE LES PARALLÈLES NE CONVERGENT PAS,** réglez le zoom à mi-parcours de la plage des focales. Avec ce réglage, les lignes de fuite sont un peu moins marquées.

**EN LUMIÈRE FAIBLE, TRAVAILLEZ AU GRAND-ANGULAIRE** car l'ouverture du diaphragme est plus grande à cette focale qu'en mode Téléobjectif.

**CONSERVEZ L'OBJECTIF PROPRE.** Les lentilles des appareils compacts étant très petites, la moindre saleté dégrade significativement la qualité de l'image projetée sur le capteur photosensible.

# Le cadrage

Pointer l'appareil sur le sujet garantit certes qu'il sera « dans la boîte », mais c'est le cadrage qui fait la différence entre un simple instantané et une photographie digne de ce nom. Le cadrage est l'art d'agencer les différents éléments de l'image afin d'obtenir une belle composition. Le sujet, l'angle de prise de vue, les volumes et les couleurs doivent tous contribuer à transmettre le message ou l'émotion de la manière dont le photographe veut l'exprimer.

**VEILLEZ À L'HORIZONTALITÉ DE L'APPAREIL,** sauf si vous recherchez un cadrage insolite. Dans ce cas, l'horizon doit être franchement et fortement basculé.

**RECHERCHEZ DES POINTS DE VUE INÉDITS,** des perspectives nouvelles et des cadrages inattendus. Si vous ne vous déplacez jamais, vos images manqueront terriblement de vie et de dynamisme.

**ÉVOLUEZ PARMI LES GENS** et photographiez-les de près. Vous éviterez ainsi que vos photos soient froides et distantes.

**REMPLISSEZ LE CADRE.** La règle d'or est que tout ce qui figure sur la photo contribue à l'image et que tout ce qui n'apporte rien en soit exclu.

**DÉCENTRER LE SUJET** produit généralement – mais pas toujours – une image plus plaisante que le centrer platement. L'idéal est de placer le sujet à environ un tiers du bord.

**PENSEZ À UN PREMIER PLAN** légèrement flou, comme des frondaisons formant une arche, pour donner de la profondeur et placer le sujet dans un contexte. C'est parfois utile pour occulter un élément indésirable ou gênant.

**SI DES COULEURS OU DES TONS SE RESSEMBLENT,** cadrez de manière à placer le sujet sur un arrière-plan d'aspect différent. Autrement, la photo risquerait d'être confuse.

**QUAND VOUS CADREZ UN PANORAMA OU UNE PERSPECTIVE,** placez au premier plan un élément dynamique qui donne une échelle. Rendez-le légèrement flou afin que l'attention se porte sur l'arrière-plan.

**SI DES OBJETS SONT BIEN DIFFÉRENCIÉS** par leur forme ou par leur couleur, faites-les se chevaucher afin qu'ils donnent une échelle et de la profondeur.

**QUAND VOUS PHOTOGRAPHIEZ UN PAYSAGE,** placez l'horizon assez bas de manière à ne cadrer qu'une étroite bande de terrain en bas de l'image. Privilégier ainsi le ciel suggère une puissante impression de grands espaces. N'hésitez pas à exagérer la proportion entre le ciel et le paysage.

# L'espace graphique

La photographie enregistre des scènes qui sont, à l'origine, tridimensionnelles. Or, qu'elle soit sur papier, projetée ou montrée à l'écran, une photo est bidimensionnelle. C'est donc au photographe de suggérer la profondeur et l'espace. La composition est à cet égard primordiale, ainsi que le choix du point de vue. Tous deux permettront à celui qui regarde la photo de mieux percevoir ses trois dimensions.

**LE MEILLEUR MOYEN DE MONTRER QU'UN OBJET EST PLUS PROCHE QU'UN AUTRE** est d'occulter partiellement ce dernier par le premier. C'est une façon efficace d'exprimer l'espace et de décrire les relations spatiales.

**UN «ESPACE NÉGATIF»** est une partie de l'image qui ne contient rien susceptible d'attirer le regard. C'est par exemple un ciel ou un plan d'eau vides, qui servent simplement d'arrière-plan ou d'écrin pour le sujet.

**UN AUTRE MOYEN DE DIFFÉRENCIER LES DISTANCES** et de suggérer ainsi les relations spatiales consiste à rendre le premier plan et l'arrière-plan flous.

**ENCADRER LE SUJET PRINCIPAL** par une voûte ou les branches d'un arbre guide le regard vers lui. Le sujet étant plus loin que le cadre dans lequel il s'inscrit, il en résulte une impression de voyager dans l'image.

**LES LIGNES SINUEUSES** invitent le regard à voyager dans l'image. Elles renforcent la composition et soutiennent l'attention de l'observateur.

**L'ESPACE PEUT ÊTRE ABOLI** en travaillant au téléobjectif. Les lignes de fuite devenues indiscernables produisent une sensation d'écrasement qui donne l'impression que les objets sont tous sur un même plan, ce qui n'est pas le cas.

**EXPLOITEZ LES LIGNES DE FUITE** comme un grillage, des rails, une route, pour conduire le regard du premier plan vers l'arrière-plan. La convergence des fuyantes suggère vigoureusement la profondeur.

**FACE À UN PAYSAGE MAJESTUEUX, VOUS ÉVOQUEREZ LA GRANDEUR DES ESPACES** en accordant la majeure partie de la place au ciel.

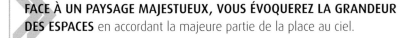

**QUAND LE SUJET EST LOINTAIN,** comme un immeuble, une technique efficace consiste à trouver un élément très proche et à l'inclure dans le cadre. Ce premier plan flou exagérera l'impression d'espace et de distance.

**DANS DES PHOTOS D'ARCHITECTURE OU DE MONUMENTS,** il est recommandé de laisser de l'espace tout autour des éléments. Un cadrage trop serré risquerait d'étriquer le sujet. Laissez toujours de l'air autour afin qu'il puisse respirer et pour le situer dans son contexte.

# Le temps et la durée

Le photographe maîtrise deux échelles de temps. La première est représentée par les longues durées que sont les mois et les jours qui déterminent les saisons. La douce lumière oblique de l'hiver offre des reflets d'or et des ombres longues, mais les jours sont courts. En revanche, la lumière des longues journées d'été est dure et contrastée. L'autre échelle de temps est brève, limitée à la fraction de seconde de l'instant décisif : celui de la composition géométrique, de la netteté maximale ou de l'événement à son paroxysme. Des photographes attendent une belle lumière pendant de longues heures, voire des mois. Pour d'autres, la réussite de la photo tient à une minuscule tranche de temps.

**LA PHOTOGRAPHIE FIGE LE TEMPS.** Cela est particulièrement vrai pour la photo d'action. Pour obtenir une image nette d'un sujet en mouvement – photo de sport ou animalière –, le temps d'exposition doit être au moins de 1/250 de seconde, le 1/500 étant préférable.

**UNE MAGNIFIQUE LUMIÈRE DORÉE** apparaît juste après l'aurore et précède le crépuscule. À ces heures, la lumière est filtrée et adoucie par l'atmosphère, d'où ces teintes chaudes qui inondent d'or les paysages et les immeubles.

**LE MEILLEUR MOMENT EST CELUI QUI SE PRÉSENTE.** La plupart des compacts sont si petits que vous pouvez les avoir avec vous en permanence, prêts à photographier n'importe quand. Vous n'avez plus à regretter de ne pas avoir emporté un appareil lorsqu'un événement inattendu se produit.

**PHOTOGRAPHIEZ L'EAU VIVE EN POSE LONGUE.** Au lieu d'être figés, les cascades, ruisseaux et fontaines révéleront de dynamiques chevelures pleines de vie.

**À CHAQUE SAISON SA LUMIÈRE.** Dure ou tamisée, colorée ou neutre, toutes les lumières de la nature sont magnifiques.

**UTILISEZ LA POSE « B » POUR LES POSES LONGUES.** L'exposition prolongée pendant plusieurs secondes ou minutes permet de photographier un feu d'artifice, les éclairs durant les nuits d'orage ou les traînées des étoiles dans le ciel.

**SI VOTRE APPAREIL EST LENT À RÉAGIR** à la mise en marche ou après que vous avez déclenché, mettez-le en veille au lieu de l'éteindre. Un léger appui sur le déclencheur le réveillera aussitôt.

**SAVOIR ANTICIPER L'ACTION** est vital. Apprenez à observer ou à déceler les signes avant-coureurs ou répétitifs.

**LE MOUVEMENT PEUT ÊTRE SUGGÉRÉ** par une pose longue. Le flou de mouvement révèle et souligne le déplacement du sujet. En suivant le sujet, vous rendez flou l'arrière-plan. Cet effet est appelé « filé ».

# Saisir la lumière

Pour certains photographes, seule la lumière compte, le sujet n'étant que secondaire. Elle peut transformer la scène la plus banale en un spectacle somptueux. Vous n'avez certes aucun pouvoir sur le climat ni sur la position du soleil, mais vous pouvez attendre une belle lumière ou vous placer au meilleur endroit afin d'en tirer parti. L'éclairage est intimement lié à l'exposition : parfaite, elle magnifie la lumière. Mais si elle est approximative, il ne restera rien

**UN RAYON DE LUMIÈRE** comme celui qui traverse la canopée donne un éclairage poétique et mystérieux.

**UN ÉCLAIRAGE CONTRASTÉ** donne de beaux résultats, mais il est délicat à maîtriser. Prenez plusieurs vues à différentes expositions afin de multiplier les chances de réussite.

**EXPLOITEZ LES OMBRES DENSES** produites par la dure lumière solaire, pour mettre des détails en relief. Une ombre peut aussi conduire le regard ou évoquer la profondeur ou l'espace.

**LE CONTRE-JOUR** produit toujours des images saisissantes. Placez le soleil dans l'image pour arriver à des effets de halos optiques et essayez d'obtenir de dramatiques ciels sombres.

**POUR UN PORTRAIT,** n'hésitez pas à demander au modèle de se rapprocher d'une fenêtre ou de sortir. Une lumière tamisée directionnelle met un visage en valeur.

**DÉBOUCHEZ LES OMBRES AVEC LE FLASH.** Les compacts le font automatiquement. Un flash d'appoint contribue à révéler des détails et des couleurs qui auraient autrement été enterrés.

**UTILISEZ LA MAIN COMME PARE-SOLEIL.** Vous réduirez ainsi les réflexions à l'intérieur de l'objectif qui sont à l'origine de reflets parasites sur l'image. Le pare-soleil de nombreux compacts est insuffisant. Veillez toutefois à ce que le bord flou de la main n'apparaisse pas dans la photo, surtout avec un grand-angulaire.

**QUAND LA LUMIÈRE EST DIFFICILE** mais que l'exposition doit être irréprochable, exposez en variant les paramètres. Vérifiez les photos et supprimez celles qui sont inexploitables.

**POUR LA PHOTO RAPPROCHÉE** en plein soleil, utilisez une feuille de papier comme diffuseur. Les couleurs et les délicates textures seront mieux rendues.

**EXPLOITEZ LA LUMIÈRE, MÊME LA PLUS PARCIMONIEUSE.** Elle peut réserver d'agréables surprises car, de nuit, le capteur de votre appareil discerne plus de couleurs que votre rétine.

# Exploiter la couleur

La réussite d'une prise de vue tient, entre autres, à la faculté de différencier la couleur, telle que nos yeux la perçoivent, de la couleur, telle qu'elle est restituée sur la photographie. Car les couleurs enregistrées par l'appareil ne sont jamais totalement conformes à celles que nous avons vues.

Mais ce qui est plus important en tant que photographe, c'est de comprendre que la couleur n'est pas qu'une simple caractéristique superficielle du sujet, mais qu'elle en est partie intégrante.

**LA COULEUR PARTICIPE DIRECTEMENT À LA COMPOSITION.** Essayez de mettre en valeur une couleur vive sur un arrière-plan éteint, pour souligner la forme d'un objet ou une perspective. Une couleur qui détonne sur les autres peut devenir un point d'intérêt fortement attractif.

**COMPOSEZ L'IMAGE EN LIMITANT LA GAMME DE COULEURS.** Des nuances de teintes semblables – camaïeux de verts et ton sur ton de couleurs chaudes – produisent une douce harmonie interne.

**SI LA SCÈNE CONTIENT DE NOMBREUSES COULEURS ANTAGONISTES,** essayez de les organiser de manière que les lignes de force les traversent, ou tentez de grouper les couleurs. Ou alors photographiez-les sur un fond terne, comme du gris ou du noir. Ce procédé est particulièrement efficace pour les scènes urbaines.

**LES COULEURS SONT LES PLUS VIVES,** les plus saturées, lorsque le temps est partiellement nuageux, car la lumière diffusée empêche les reflets spéculaires éclatants, laissant ainsi leur chance aux autres couleurs.

## UNE LÉGÈRE SOUS-EXPOSITION AMÉLIORE LES COULEURS,

notamment les jaunes et les rouges qui se délavent ou s'atténuent facilement.

## LA BALANCE DU BLANC peut certes

être corrigée avec un logiciel, mais rien ne vaut le réglage effectué sur l'appareil pour éviter une dominante jaune orangé ou bleutée.

## LES COULEURS PEUVENT ÊTRE RENFORCÉES, c'est-à-dire plus saturées, grâce

à une des options de l'appareil photo. Comme certains appareils produisent par défaut des photos saturées, Il est préférable de faire des essais. Vous éviterez ainsi de devoir corriger les couleurs dans l'ordinateur.

## LES COULEURS EXPRIMENT L'AMBIANCE ET LES ÉMOTIONS.

Une palette de couleurs réduite, comme ces tons froids bleus et verts, évoque la paix et la tranquillité. Des couleurs vives antagonistes suggèrent l'énergie et l'excitation.

## LA JUXTAPOSITION DE COULEURS PRIMAIRES

donne de la force à une image, comme le montre ce vigoureux mélange de bleu, de rouge et de jaune.

**DES COULEURS INVISIBLES OU QUE LA NUIT ATTÉNUE SE REMARQUENT DANS UNE PHOTO.** C'est parce que nos yeux se sont adaptés à la vision nocturne en privilégiant la perception des luminosités à celle des couleurs, ce qui n'est pas le cas des appareils photo numériques qui captent toutes les teintes.

# Luminosité et niveaux

L'exposition contrôle la luminosité globale d'une image. Vous ne devriez pas avoir à la modifier par la suite dans un logiciel de retouche puisque l'appareil s'est chargé de tout dès la prise de vue. Mais l'aspect que vous attendez de la photo ne correspond pas toujours à l'image que l'appareil a produite. Vous devrez alors corriger la luminosité à l'aide de la commande Niveaux. Elle sert aussi à régler le contraste – et donc la vigueur – de l'image.

❯❯ **IL EST ACCEPTABLE QUE CERTAINES IMAGES PARAISSENT TRÈS SOMBRES.** C'est le cas des photos de nuit bien sûr, mais aussi de celles qui mettent une tache de lumière en valeur, sur un visage par exemple.

❯❯ **LA COMMANDE DE NIVEAUX AUTOMATIQUE PEUT PARFOIS CORRIGER INSTANTANÉMENT UNE IMAGE,** mais le réglage manuel est cependant beaucoup plus précis.

❯❯ **LES NIVEAUX PEUVENT CONTRÔLER LE CONTRASTE DES TONS MOYENS.** La plage tonale du blanc au noir est compressée pour augmenter le contraste, ou étalée pour le réduire.

CONTRASTE ÉLEVÉ

CONTRASTE FAIBLE

❯❯ **CERTAINS APPAREILS AFFICHENT UN HISTOGRAMME** lorsque les photos sont visionnées. Il représente la répartition des tons dans l'image, ce qui aide à la corriger. Le graphique d'une bonne image est plutôt centré. Pour compenser une surexposition, placez le curseur du milieu sous le pic de l'histogramme.

❯❯ **UN HISTOGRAMME EN PEIGNE** (barres séparées) révèle que l'image est de mauvaise qualité. Aucune intervention ultérieure ne peut l'améliorer, et si elle est imprimée, les couleurs risquent d'être différentes de celles affichées à l'écran.

**IL EST NORMAL QUE CERTAINES IMAGES SOIENT TRÈS LUMINEUSES,** voire presque blanches. Une robe de mariée, de la poterie blanche ou des paysages de neige sont naturellement lumineux sans pour autant être surexposés. Faites des essais en variant le contraste ou la luminosité pour voir si l'image peut être améliorée.

**UNE PHOTO SOUS-EXPOSÉE EST TROP SOMBRE.** Les ombres sont bouchées et les hautes lumières, éteintes. La couleur peut parfois être terne, mais bien éclairée, elle peut devenir dense et riche.

PHOTO ORIGINALE                    PHOTO CORRIGÉE

**UNE PHOTO SUREXPOSÉE EST TROP CLAIRE.** De nombreux détails sont visibles dans les ombres et des parties de l'image sont délavées, d'où des couleurs passées. Remarquez qu'après la correction les zones blanches sont toujours très claires.

PHOTO ORIGINALE                    PHOTO CORRIGÉE

**RÉGLEZ LE NOIR POUR QU'IL SOIT NOIR.** Les ombres seront ainsi bien denses, surtout sur les tirages. Des noirs qui manquent de densité produisent des tirages délavés.

PHOTO ORIGINALE                    PHOTO CORRIGÉE

# Balance des couleurs et saturation

La balance des couleurs est un paramètre crucial dont dépend la fidélité des teintes. Les couleurs doivent être conformes à la réalité et reconnues comme telles. La couleur de la peau est à cet égard un élément important : la moindre variation inattendue de la teinte et l'ensemble de la photo a l'air faussé. Le blanc, le gris et le noir sont « achromatiques », c'est-à-dire dépourvus de couleur. Pour que leur reproduction soit exacte, aucune teinte ne doit y apparaître.

**LES MONITEURS RÉCENTS REPRODUISENT CORRECTEMENT LES COULEURS,** mais si celles des tirages diffèrent de celles à l'écran, vous devrez utiliser le Panneau de configuration ou les Préférences système de l'ordinateur pour les étalonner.

**LES CARNATIONS SONT PARFAITES POUR ÉQUILIBRER LES COULEURS.** Une couleur de peau qui paraît trop froide ou trop chaude révèle une déficience de la balance des couleurs. Réglez-la avec votre logiciel de retouche.

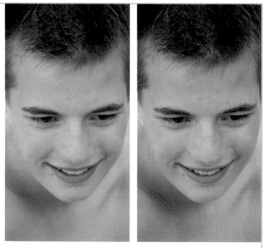

PHOTO ORIGINALE    PHOTO CORRIGÉE

**RÉDUIRE LA SATURATION TEND VERS DES NUANCES DE GRIS.**
La réduire entièrement produit une image en noir et blanc.

PHOTO ORIGINALE

PHOTO CORRIGÉE

**LA COMMANDE « VARIANTES » EST LE MOYEN LE PLUS SIMPLE DE RÉGLER LA BALANCE DES COULEURS.** Elle montre d'un seul coup d'œil les effets de plusieurs réglages : cliquez sur celui dont les couleurs sont les plus fidèles.

**LES TEINTES PEUVENT ÊTRE DÉLIBÉRÉMENT FAUSSÉES** pour obtenir de saisissants effets graphiques. Les couleurs sont décalées, les bleus devenant des verts et les rouges, des mauves.

PHOTO ORIGINALE          PHOTO CORRIGÉE

**RÉGLEZ L'EXPOSITION POUR NE DEVOIR APPLIQUER QU'UN MINIMUM DE CORRECTIONS** ultérieurement. Beaucoup d'appareils permettent de régler la richesse de la couleur ainsi que le contraste et la netteté lors de l'enregistrement des photos dans la carte mémoire. Ce seront autant de corrections en moins à faire avec un logiciel.

**LES COULEURS SONT PLUS VIGOUREUSES** lorsque la saturation est augmentée. Des couleurs trop brillantes sur l'écran d'un ordinateur risquent toutefois de paraître pâles sur les tirages, car certaines imprimantes reproduisent mal les couleurs très lumineuses.

PHOTO ORIGINALE          SURSATURÉE

**LA COULEUR PEUT ÊTRE DÉSATURÉE AVEC L'OUTIL « SATURATION » OU « ÉPONGE ».** Elle est alors moins vive. Ce procédé est idéal pour atténuer des couleurs autrement trop voyantes qui détourneraient l'attention du sujet.

PHOTO ORIGINALE          PHOTO CORRIGÉE

# Contraste et tons

Le contraste est le rapport qui existe entre d'une part les gris moyens et d'autre part le blanc et le noir, autrement dit la gradation des tons foncés et des tons clairs dans l'image. Le contraste dépend en grande partie de l'éclairement du sujet au moment de la prise de vue, mais il est facilement modifiable à l'aide d'un logiciel de retouche. Un contraste soigneusement choisi en fonction du sujet est l'apanage de la photographie d'art.

**UNE PHOTO À FORT CONTRASTE** est riche en zones très lumineuses et d'autres très foncées, la transition entre elles étant abrupte. Ces images sont très dures, comme si elles étaient directement éclairées par le soleil.

**LA PLUPART DES LOGICIELS DE RETOUCHE** proposent une glissière servant à régler le contraste. Vous l'ajusterez toutefois plus finement avec la commande Niveaux.

**ADOUCISSEZ LE CONTRASTE** des photos prises sous le soleil direct afin de préserver les détails dans les hautes lumières et déboucher les ombres. Le tirage sera beaucoup plus naturel.

**UNE PHOTO À CONTRASTE NORMAL** contient surtout des tons moyens – à mi-chemin entre le blanc et le noir –, ainsi que quelques hautes lumières et ombres denses et des transitions douces entre les tons.

**UNE IMAGE À FAIBLE CONTRASTE** se caractérise par un excès de tons moyens et des zones trop claires ou trop sombres. L'ensemble est grisâtre, produisant une image plate.

PHOTO ORIGINALE

PHOTO CORRIGÉE

**AUGMENTEZ LE CONTRASTE DES PHOTOS EN NOIR ET BLANC** afin de mettre leur graphisme en valeur. Si l'original est en couleurs, convertissez-le d'abord en noir et blanc. Augmentez ensuite le contraste jusqu'à obtenir l'effet désiré. Cette technique fonctionne bien avec des sujets aux lignes bien définies, ou les sujets très géométriques présentant des motifs forts.

PHOTO ORIGINALE

PHOTO EN NOIR ET BLANC

PHOTO CORRIGÉE

**AUGMENTEZ LE CONTRASTE DES PHOTOS PRISES PAR TEMPS GRIS OU COUVERT** afin de rétablir leur richesse tonale. Non seulement vous aviverez et intensifierez les couleurs, mais vous améliorerez aussi la définition et rendrez des détails visibles.

PHOTO ORIGINALE               PHOTO CORRIGÉE

**EN AUGMENTANT LA LUMINOSITÉ D'UNE IMAGE,** vous faussez la relation entre les gris, le blanc et le noir, d'où la nécessité de compenser le contraste. Procédez à différents essais de réglages du contraste et de la luminosité.

PHOTO ORIGINALE        PHOTO TROP CLAIRE        PHOTO CORRIGÉE

**UNE PHOTO TRÈS CONTRASTÉE** paraît plus nette qu'une photo qui ne l'est pas. La nette transition entre les plages claires et foncées est en effet perçue comme une délimitation d'autant plus marquée que la différence de tons est importante.

PHOTO ORIGINALE               PHOTO CORRIGÉE

# Éléments gênantS et netteté

Le meilleur moyen d'éviter qu'un élément gênant dépare une photo est de veiller, dès la prise de vue, à ne pas l'inclure dans le cadre. Vous vous dispenserez par la suite d'un travail d'élimination parfois fastidieux. Les logiciels de retouche sont dotés de puissants outils de suppression d'éléments indésirables ou disgracieux. Cela fait, vous pourrez renforcer la netteté de l'image. Cette intervention améliore l'aspect et le rendu de la photo, même si la mise au point est correcte.

**LE TAMPON DE DUPLICATION, UN OUTIL** présent dans la plupart des logiciels de retouche, est idéal pour supprimer des éléments gênants. Il est doté d'un pinceau qui prélève des pixels et d'un autre pinceau à quelque distance qui les dépose dans l'image. Ici, une plante a été remplacée par du feuillage prélevé dans le fond.

PHOTO ORIGINALE                    PHOTO CORRIGÉE

**AU LIEU DE TENTER DE RETOUCHER DES ÉLÉMENTS GÊNANTS,** rendez-les flous afin qu'ils soient plus discrets. L'effet est efficace car l'œil privilégie la perception des objets nets. Vous devrez d'abord sélectionner la partie de l'image à rendre floue.

PHOTO ORIGINALE                    PHOTO CORRIGÉE

**UN AUTRE ÉLÉMENT GÊNANT EST LE BRUIT** causé par une sensibilité élevée (800 ISO et plus). Il donne un aspect granuleux à l'image. Beaucoup de logiciels de retouche permettent de l'atténuer, et aussi d'éliminer la poussière et les rayures.

PHOTO ORIGINALE                    PHOTO CORRIGÉE

**SI LA PHOTO EST UN PEU FLOUE OU ENVELOPPÉE, RENFORCEZ SA NETTETÉ AVEC UN FILTRE.** C'est dans un logiciel de retouche que vous trouverez ce filtre dont l'intensité est réglable.

PHOTO ORIGINALE

PHOTO CORRIGÉE

**SI UNE ZONE RETOUCHÉE PAR DUPLICATION PARAÎT TROP LISSE,** introduisez du bruit optique pour la rendre plus naturelle. Sélectionnez la zone à corriger et appliquez un filtre d'ajout de bruit. Ou alors modifiez les paramètres du tampon de duplication, comme la netteté du bord ou son opacité.

**LA NETTETÉ EST LE DERNIER FILTRE À APPLIQUER,** bien après le recadrage, le redimensionnement et le réglage des niveaux, car il agit fortement sur les pixels. Après son application, étudiez attentivement l'image au rapport de 100 % afin de repérer d'éventuelles imperfections qu'il aurait causées.

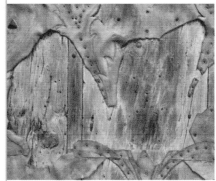
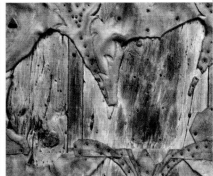

PHOTO ORIGINALE

PHOTO CORRIGÉE

**UNE PHOTO RENDUE PLUS NETTE POUR L'IMPRESSION** doit paraître légèrement surcorrigée à l'écran, les imperfections étant à peine visibles à 100 %. Pour un affichage à l'écran, sur un site Web, ne renforcez que dans la mesure du strict nécessaire.

**CONTRASTER UNE PHOTO DONNE DÉJÀ L'ILLUSION D'UNE MEILLEURE NETTETÉ.** Assurez-vous que le contraste est suffisant avant d'appliquer un filtre de renforcement de la netteté.

**MÉFIEZ-VOUS DU FILTRE DE RENFORCEMENT DE LA NETTETÉ.** Il est séduisant car il corrige un très léger flou, mais il peut aussi produire des effets indésirables, comme un liseré contrasté ou une bordure accentuée autour du sujet. Il augmente aussi le bruit, donnant à la photo un aspect sablé.

# Recadrage et redimensionnement

Une opération de base consiste à vous assurer que la photo est aux dimensions désirées. Modifier sa taille ne change pas son contenu, mais le fichier qui en résulte sera plus ou moins volumineux, ce qui pourra favoriser l'impression en grand format ou faciliter l'envoi par courrier électronique. Dans certains cas, vous devrez recadrer la photo, soit pour ne conserver que le sujet, soit pour redresser un horizon incliné.

**LE RECADRAGE RÉDUIT LA TAILLE D'UNE PHOTO** et supprime des données graphiques. C'est pourquoi un fort recadrage est réservé aux grandes images. Agrandissez à la même taille qu'auparavant l'image que vous venez de rogner, et vous constaterez que ses pixels sont plus gros.

PHOTO ORIGINALE

PHOTO CORRIGÉE

**AVANT TOUTE INTERVENTION, COMMENCEZ TOUJOURS PAR DUPLIQUER L'IMAGE.** Faire une copie empêche l'irréparable si par mégarde vous enregistrez sur l'original des modifications qui n'avaient pas lieu d'être.

**RECADREZ ET ROGNEZ POUR REDRESSER UNE PHOTO.** Faites pivoter la photo afin que l'horizon soit droit, tracez un rectangle de recadrage à l'intérieur de l'image et rognez. La photo rognée se mettra d'aplomb. Certains logiciels de retouche automatisent cette procédure.

**LE RECADRAGE EST UN MOYEN SIMPLE ET EFFICACE D'AGRANDIR UNE PARTIE DE L'IMAGE.** L'attention se porte ainsi sur le sujet principal qui, autrement, serait perdu dans le cadre.

PHOTO ORIGINALE

PHOTO CORRIGÉE

**UNE IMAGE PEUT ÊTRE RECADRÉE POUR RÉDUIRE LA TAILLE DU FICHIER,** notamment si des éléments peuvent être supprimés. Rogner un peu de marge réduit sensiblement la taille du fichier.

PHOTO ORIGINALE

PHOTO CORRIGÉE

**POUR CONSERVER LES PROPORTIONS,** choisissez l'outil de recadrage puis tracez le rectangle de recadrage avec la touche Maj enfoncée (ou déplacez les taquets de recadrage, touche Maj enfoncée).

**ROGNEZ LES ÉLÉMENTS GÊNANTS** ou tout ce qui n'apporte rien à l'image afin de concentrer l'attention sur le sujet.

PHOTO ORIGINALE            PHOTO CORRIGÉE

**QUAND VOUS MODIFIEZ LES PROPORTIONS D'UNE PHOTO,** prévoyez des marges larges, surtout si la photo est appelée à être imprimée en très petite taille.

PHOTO CORRIGÉE

PHOTO ORIGINALE

**REDIMENSIONNEZ UNE PHOTO SELON LES NÉCESSITÉS.** Si elle doit être partagée sur le Web ou envoyée par courrier électronique, sa largeur excédera rarement 500 pixels. Elle sera de bonne qualité pour être visionnée à l'écran. Pour l'impression, deux paramètres sont primordiaux : le premier est le nombre de pixels par pouce, soit 300 ppp. Ainsi, la taille d'une photo tirée en 12 × 10 cm (4'' × 5'') devra être de 1 500 × 1 200 pixels, ce que permettent tous les appareils photo récents. Le second paramètre est le format du papier. Vérifiez ces mesures dans le logiciel de retouche.

Les gens

12345678

**Les gens** sont pour le photographe le sujet le plus riche et le plus gratifiant, et de loin le plus populaire. En raison peut-être de ses implications sur le plan personnel, son impact est plus fort que pour d'autres sujets. Ce chapitre décrit les techniques indispensables pour prendre des photos vivantes, sensibles et attachantes. Vous travaillerez avec la lumière et l'exposition, la composition et le zoom, vous choisirez l'arrière-plan et apprendrez comment faire poser le sujet et le mettre à l'aise. Vous découvrirez aussi l'art de photographier les enfants et les personnes âgées, et de réaliser des portraits formels ou pris sur le vif.

# Portraits au soleil

Le lieu de prédilection du portrait est le studio du photographe, mais les extérieurs offrent de la lumière à foison et beaucoup d'espace. Ce square en Espagne propose une variété d'arrière-plans, comme des vieilles portes et des murs au loin. La lumière est très diversifiée, dure au soleil ou douce à l'ombre des édifices. La couleur de la lumière varie du bleu à l'ombre à la chaude coloration de la lumière renvoyée par la pierre.

DES ANGLES INHABITUELS

La photo en contre-plongée peut dramatiser l'image, mais elle risque de desservir le sujet. Cet angle est surtout flatteur au cinéma, car il met bien en valeur l'aspect imposant d'un personnage.

## 1 RECHERCHEZ DES LUMIÈRES

La lumière tamisée est généralement – mais pas toujours – la meilleure pour les portraits car elle flatte les traits. Le soleil direct risque de creuser des ombres.

## 2 VARIEZ LES ARRIÈRE-PLANS

Un arrière-plan chargé peut être tout aussi intéressant que gênant. Un arrière-plan uni peut se montrer neutre mais insipide. En photographiant avec les deux, vous apprendrez lequel convient le mieux.

## 3 CHOISISSEZ UN PLAN

Choisissez ce que vous montrerez du sujet. Un cadrage en pied met les vêtements en valeur et invite le personnage à s'exprimer au travers de sa pose. Un plan rapproché met naturellement en valeur les traits du visage et son expression.

## POUR CETTE PHOTO

Les couleurs de l'arrière-plan soulignent celles du visage, réchauffées par la lumière provenant d'un mur en pierre. La sensibilité ISO est réduite afin d'obtenir une qualité maximale.

### MODE DE L'APPAREIL

 Portrait

### RÉGLAGE DU ZOOM

Téléobjectif

### SENSIBILITÉ ISO

 Faible

### FLASH

Désactivé

## 4 MULTIPLIEZ LES POSES

Encouragez le sujet à bouger naturellement, comme lors d'une conversation. Photographiez sans cesse pour prendre les bonnes expressions.

# Les jeux d'enfants

Des jeux spontanés, comme ceux des enfants dans un parc, offrent l'occasion de saisir de beaux et parfois amusants moments. Ils ne durent généralement pas longtemps : l'activité ludique s'accroît au fur et à mesure que des enfants se joignent au jeu, puis elle est très vite délaissée. La lumière et le mouvement se conjuguent parfois pour produire une intéressante composition, comme pour cette photo d'une jeune fille qui s'est placée juste dans le rayon de lumière.

## 1 EXPLOITEZ L'OMBRE ET LA LUMIÈRE

Selon le lieu et l'heure, la scène peut présenter des motifs d'ombres et de lumière. Ils compliquent la mesure de la lumière dans les parties sombres et claires, mais structurent indéniablement la composition.

## 2 RÉGLEZ L'APPAREIL

Même si la lumière est forte, choisissez une sensibilité ISO élevée afin de figer le mouvement. Un grand-angulaire et une grande ouverture permettent une vitesse élevée.

## 3 CADREZ SOIGNEUSEMENT

Donnez de la vie en cadrant un petit groupe de personnages et en y choisissant celui que vous désirez mettre en valeur. Il s'agit ici de la jeune fille qui se fait remarquer par son adresse au hula-hoop.

# Les personnages en action

Le sport et l'action sont des domaines où, plus que tout art, la photo excelle. La capacité de l'appareil à geler le mouvement et à restituer les détails les plus infimes n'est pas surpassée, même par la vidéo. Aujourd'hui, la plupart des appareils pour amateur autorisent le $^1/_{4000}$ de seconde, mettant la photo d'action à la portée de tous.

## DÉCLENCHEMENTS RAPIDES

Des actions comme ce snowboarder dévalant une pente se succèdent si vite que l'on parvient à peine à décider du meilleur moment pour déclencher. Commencez à photographier en rafale un peu avant l'action et ne cessez que lorsqu'elle est terminée.

**1** Si vous ne pouvez voir venir le sujet, demandez à quelqu'un de vous faire signe au moment opportun.

**2** Si c'est possible, activez l'exposition et la mise au point continues.

**3** Certains appareils acceptent des cartes mémoire rapides qui favorisent la photo d'action. Utilisez-les.

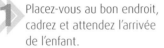

## SUSPENDU EN L'AIR

Les arts martiaux comme le karaté ou le kick-boxing sont très photogéniques. La photo en extérieur offre de plus beaux arrière-plans qu'en salle.

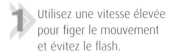  Utilisez une vitesse élevée pour figer le mouvement et évitez le flash.

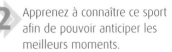  Apprenez à connaître ce sport afin de pouvoir anticiper les meilleurs moments.

## LE FILÉ

Si la lumière est faible, vous pourrez néanmoins tenter de saisir une action rapide en suivant le déplacement du sujet, avec une pose lente, afin qu'il reste net.

  Pour que le sujet soit bien net, ne « panoramiquez » ni trop vite, ni trop lentement.

Si vous optez pour le flash, sélectionnez le synchro flash sur le second rideau si l'appareil le permet.

## PRÉVOIR ET ATTENDRE

Même l'enfant le plus timide cesse de l'être lorsqu'il est photographié en train de jouer, seul ou avec d'autres, ou quand il est absorbé dans une activité amusante, comme la glissade.

Placez-vous au bon endroit, cadrez et attendez l'arrivée de l'enfant.

Déclenchez dès que l'enfant est dans le champ.

Patience. Il faut parfois plusieurs essais, mais l'enfant s'y prêtera volontiers.

## L'EAU ET LA LUMIÈRE

Les enfants adorent s'éclabousser, comme le prouve cette scène prise près d'une fontaine dans un parc public. Si vous vous concentrez sur seulement un ou deux enfants et si ce ne sont pas les vôtres, demandez aux parents l'autorisation de les photographier.

**1** Placez-vous face au soleil pour faire étinceler les gouttelettes.

**2** Travaillez au téléobjectif, en mode Sport ou Action pour figer le mouvement.

**3** Débouchez les ombres dures avec un flash de remplissage.

## ÉVITEZ LE FLOU

Figer un mouvement rapide, comme celui du fil d'une corde à sauter, n'est pas toujours facile.

**1** Inclinez l'appareil pour cadrer de façon inhabituelle.

**2** Choisissez une vitesse élevée et désactivez le flash afin de préserver la lumière naturelle.

## EXPLOITEZ LES OMBRES

Une photo montrant des ombres plutôt que l'action est souvent plus parlante qu'une banale image. Choisissez le mode Action avec une vitesse élevée pour figer le mouvement.

**1** Cadrez en ménageant de l'espace pour que l'action s'y projette.

**2** Si c'est possible, activez le mode Rafale pour prendre plusieurs photos en peu de temps.

## ANTICIPEZ L'ACTION

Savoir anticiper est primordial pour saisir un mouvement ou une attitude.

**1** Écoutez et regardez : un indice parfois ténu annonce le moment décisif.

**2** Si c'est possible, activez le mode Rafale pour prendre plusieurs photos en peu de temps.

## COUREURS EN MOUVEMENT

Le flou de mouvement restitue bien le rythme auquel les gens bougent. Une vitesse très lente réduit les coureurs à des traînées floues. Cependant, les pieds momentanément en contact avec le sol au moment de l'exposition sont presque nets.

**1** Choisissez un emplacement permettant un cadrage très graphique.

**2** Ici, la vitesse d'obturation était de $1/3$ de seconde, le diaphragme de f/16 et le zoom au grand-angulaire.

**3** Déclenchez plusieurs fois à différentes vitesses, puis visionnez les photos pour déterminer celle dont la vitesse d'obturation est la plus appropriée.

# Instants de vacances

Pour beaucoup de gens, la photo de vacances sert uniquement à prouver que « l'on y était », par un portrait sur fond de monument ou de grand paysage. Qu'importe l'esthétique de la photographie, du moment qu'elle a été prise. Une photo plus personnelle où le sujet est naturellement intégré au lieu est cependant beaucoup plus gratifiante. Il suffit de choisir soigneusement la pose, le point de vue et l'angle de la prise de vue.

**1 SOYEZ CRÉATIF**
Les lieux connus attirent du monde à la recherche de la photo parfaite. En ville, vous devrez tenir compte de la circulation. Si vous ne voulez pas que la foule se retrouve dans votre photo, vous devrez faire preuve de créativité.

**2 ZOOMEZ SERRÉ**
Pour éliminer la foule, cadrez le sujet serré sur fond flou. Cette technique présente toutefois un défaut : les lieux ne sont plus visibles.

**3 EN CONTRE-PLONGÉE**
La contre-plongée est une technique classique pour éliminer la rue et sa foule. Il faudra cependant inclure d'autres éléments afin de situer la photo, comme du mobilier urbain ou du feuillage.

**4 ÉVITEZ LE SOLEIL DIRECT**
La contre-plongée risque d'introduire un contre-jour mettant le visage du sujet dans l'ombre. Mesurer la lumière sur le personnage risque de surexposer les immeubles, et la mesurer sur l'immeuble réduira le personnage à une silhouette. Le flash de remplissage produit un éclairage peu naturel, mais moins discernable si le sujet relève la tête.

## POUR CETTE PHOTO
J'ai demandé au modèle de relever la tête afin d'accrocher le plus de lumière possible. Le grand-angulaire et le diaphragme fermé au maximum produisent une vaste profondeur de champ tout en permettant de cadrer tout

### MODE DE L'APPAREIL
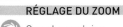 Priorité à l'ouverture

### RÉGLAGE DU ZOOM
Grand-angulaire

### SENSIBILITÉ ISO
 Élevée ou moyenne

### FLASH
Flash de remplissage

## 5 DES RÉGLAGES CORRECTS
La profondeur de champ doit être maximale afin que le sujet et le décor soient nets.

# Créer une silhouette

Avant l'avènement de la photographie, la silhouette peinte était le moyen classique de montrer un profil. Le portrait est ainsi réduit à l'essentiel, débarrassé des détails, mais non dépourvu de force. Reproduire photographiquement cet effet exige un sujet qui s'y prête mais aussi un judicieux dosage de la lumière et de l'exposition. Le crépuscule, lorsque le soleil bas illumine encore le sol mais déjà plus le sujet, est un éclairage parfaitement approprié.

## 1 POSITIONNEZ LE SUJET
Pour une belle silhouette, interposez le sujet exactement entre vous et la source lumineuse. S'il était décalé, de la lumière éclairerait un peu son visage. Trop loin, le soleil se glisserait dans la photo.

## 2 TROUVEZ LE BON PROFIL
Le portrait en silhouette exige de la docilité et de l'immobilité. Le sujet ne doit pas bouger. Le moindre mouvement fausserait l'angle et compromettrait l'effet.

## 3 VARIEZ LES EFFETS
Le choix du chignon ou des cheveux libres change complètement le résultat. Sachez que le soleil ou des immeubles visibles dans la photo gênent un portrait en silhouette. Veillez à ménager de l'espace entre le sujet et tout élément du fond.

# Portraits d'enfants au naturel

Les plus beaux portraits d'enfants sont ceux pris sur le vif. Mais il faut faire preuve de patience, voire d'endurance, et avoir de bons réflexes. Pour ne pas avoir à courir après des enfants volontiers turbulents, trouvez-leur une activité qui les tienne en place et les amuse pendant que vous les photographiez. La photo sera ainsi plus naturelle tout en révélant un peu de leur caractère d'enfant.

Avant de commencer la séance de photos, assurez-vous que les enfants n'ont ni faim ni soif. Un enfant qui a envie de manger n'est guère coopératif. Évitez toutefois les sucreries, les aliments gras et les boissons gazeuses qui les rendent soit hyperactifs, soit somnolents.

 **SÉDUISEZ L'ENFANT**

Un enfant peut être timide face à l'appareil, surtout s'il se rend compte qu'il est l'unique objet de votre sollicitude. Détendez-le en lui présentant des aspects amusants : montrez-lui les images sur l'écran de contrôle ou laissez-le prendre une photo de vous.

 **DIRIGEZ-LE**

Jouez avec l'enfant pour lui faire oublier l'appareil. Dites-lui ce que vous essayez d'obtenir. Même les très jeunes enfants adorent travailler en équipe.

**LAISSEZ L'ENFANT S'HABITUER À L'APPAREIL**

Si vous attendez trop le bon moment, l'appareil risque de gêner l'enfant. Multipliez les photos avant de prendre la bonne. L'enfant s'habituera ainsi à l'appareil, puis vous ignorera, vous et ce que vous faites.

## POUR CETTE PHOTO

L'enfant est cadré au téléobjectif afin que l'arrière-plan soit flou. Sachant qu'il ne resterait pas tranquille longtemps, j'ai activé le mode Sport pour une vitesse d'obturation élevée et une réactivité rapide de l'appareil.

### MODE DE L'APPAREIL

Sport

### RÉGLAGE DU ZOOM

Téléobjectif

### SENSIBILITÉ ISO

Moyenne ou élevée

### FLASH

Désactivé

## GARDEZ VOS DISTANCES

En photographiant de loin, au téléobjectif, vous obtiendrez plus facilement des poses naturelles. Veillez à ce qu'un adulte surveille l'enfant, mais sans entrer dans le champ.

# L'instantané sur le vif

Un portrait est réussi lorsqu'il révèle des aspects de la personnalité du modèle, de sa vie ou de ses centres d'intérêt. La photo sur le vif exclut toute intervention : vous restez en recul, attendez et regardez sans interférer ni donner de directives. Elle s'apparente à la photo animalière : patience et observation sont des qualités indispensables, ainsi que des réflexes rapides pour saisir un moment fort ou une attitude.

## FEMME ET ENFANT

Une photo sur le vif prise à distance se démarque de la photo de famille posée et guindée.

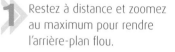 **1** Restez à distance et zoomez au maximum pour rendre l'arrière-plan flou.

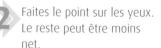 **2** Faites le point sur les yeux. Le reste peut être moins net.

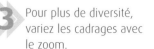 **3** Pour plus de diversité, variez les cadrages avec le zoom.

## AU VOLANT

Un portrait peut être réalisé partout, même au volant.

**1** Privilégiez un arrière-plan qui donne de la force au cadrage.

**2** Désactivez le flash et les sons pour ne pas gêner le conducteur.

## LES MOMENTS DE BONNE HUMEUR

Beaucoup de scènes s'élaborent lentement. Apprenez à en discerner les prémices pour saisir le bon moment.

**1** Préférez le mode Rafale au lieu de déclencher au coup par coup.

**2** Figez le mouvement par une vitesse rapide, au moment le plus fort.

**3** Évitez le flash qui trahirait votre présence et compromettrait toute spontanéité.

## CADRER LA PHOTO

C'est à l'intérieur du cadre que l'image est composée. Organisez l'espace en fonction du sujet et de ce que vous désirez exprimer.

**1** Veillez à ce que la photo soit bien droite dans le viseur.

**2** Tenez l'appareil à niveau pour éviter les lignes de fuite.

**3** Exercez-vous au téléobjectif car le cadrage est plus facile.

## LES GENS AU TRAVAIL

La photo sur le vif consiste à prendre les gens vaquant à leurs occupations, sans que l'appareil trouble leur comportement. Cela ne signifie pas forcément qu'ils ne doivent pas vous voir.

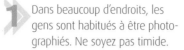

**1** Dans beaucoup d'endroits, les gens sont habitués à être photographiés. Ne soyez pas timide.

**2** Un petit appareil numérique est idéal car il n'impressionne pas les personnes photographiées.

**3** Si quelqu'un vous observe, souriez et regardez-le. Vous pourrez prendre la photo.

## LE PORTRAIT EN CONVERSANT

N'hésitez pas à demander la permission de prendre une photo. La plupart des gens l'accordent et reprennent leur conversation ou leur activité.

**1** Un petit téléobjectif est parfait pour le portrait.

**2** Désactivez les sons pour ne pas déranger votre sujet.

**3** Exploitez l'environnement pour situer le sujet.

## LE PORTRAIT AU TRAVAIL

Le monde du travail est une inépuisable source d'inspiration, surtout quand l'activité est particulièrement photogénique, comme ici ces spectaculaires jaillissements d'étincelles ou la lumière dramatique de l'usine.

 Respectez les consignes de sécurité et regardez où vous marchez.

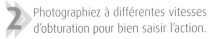 Photographiez à différentes vitesses d'obturation pour bien saisir l'action.

Exploitez les lumières intéressantes pour dramatiser la composition

# Les éclairages dramatiques

Se risquer à d'audacieux éclairages et obtenir ainsi des effets inattendus est toujours très gratifiant. Il suffit de savoir se placer au bon endroit et bien cadrer. De prime abord, les lumières crues de la ville peuvent paraître rébarbatives, mais bien exploitées, elles peuvent magnifier un portrait car l'image ainsi obtenue est souvent forte, voire dramatisée, comme au cinéma. Le téléobjectif plonge un arrière-plan inesthétique dans le flou.

Quand la lumière qui frappe le modèle est dure ou contrastée, avec des ombres profondes, la couleur compte moins que les volumes, les textures et les tons. Essayez le noir et blanc. La photo n'en sera que plus dramatique et les gradations tonales, plus subtiles.

### 1 FAITES DES ESSAIS

Même si le contexte n'est pas idéal, mettez le modèle à l'aise pendant que vous photographiez avec divers réglages. Recherchez le point de vue le plus favorable.

### 2 RÉGLEZ LES ISO

Si la lumière est faible, comme ici, choisissez la sensibilité ISO la plus élevée. L'image risque d'être « bruitée », mais cet effet granuleux lui donnera du caractère.

### 3 VARIEZ LES POSES

Variez votre position et les angles. Le moindre changement peut entraîner une grande différence. Soyez stable. Ici, ma posture ne l'est pas, d'où un risque de bougé.

### 4 RAPPROCHEZ-VOUS

Cadrez serré pour mettre en valeur les délicates subtilités tonales du clair-obscur.

## POUR CETTE VUE

J'ai opté pour un téléobjectif moyen afin de respecter les volumes du visage et d'exploiter la lumière ambiante qui sculpte admirablement le visage. L'ouverture maximale rend l'arrière-plan flou.

### MODE DE L'APPAREIL

Nuit

### RÉGLAGE DU ZOOM

Téléobjectif moyen

### SENSIBILITÉ ISO

Maximale

### FLASH

Désactivé

## MULTIPLIEZ LES POSES

**5** Bouger la tête c'est comme déplacer un éclairage : un petit déplacement et tout le visage est illuminé, mais il ne reste rien du clair-obscur.

# Portraits d'enfants posés

Tout portrait posé exige un effort. La photo sera plus appréciée si elle est littéralement prise au sérieux. Quand vous photographiez des enfants, cet effort doit être consenti aussi bien par le photographe que par le sujet qui n'a généralement pas l'habitude de rester tranquillement assis pendant de longues minutes. Votre but sera de faire plaisir à l'enfant et de récompenser sa patience par un portrait qui exprime l'essence même de sa personnalité.

**1 PRÉRÉGLEZ L'APPAREIL**
La patience de l'enfant est faible. Avant de vous occuper de lui, réglez la balance du blanc et sélectionnez la qualité d'image maximale. Désactivez le flash.

**2 EXPLOITEZ L'ESPACE DISPONIBLE**
Dans une chambre, l'espace est souvent mesuré. Octroyez-vous un maximum de recul et de champ en photographiant d'un coin vers le coin opposé.

**3 OBTENEZ LA BONNE POSE**
Une attitude un peu différente peut tout changer. Ici, retourner la chaise a grandement amélioré la posture de l'enfant, et ses mains font partie du portrait.

**4 POSEZ, COMPOSEZ**
Maintenez le contact visuel avec le sujet. Si l'enfant se sent gêné, suggérez-lui de regarder légèrement de côté. La présence d'un ami ou d'un proche peut aider.

## POUR CETTE PHOTO

L'appareil est posé sur un trépied afin de pouvoir communiquer sans entraves avec le sujet et le diriger. Le flash est désactivé, la qualité d'image, maximale, avec une sensibilité ISO faible et un téléobjectif moyen.

### MODE DE L'APPAREIL

Priorité à l'ouverture

### RÉGLAGE DU ZOOM

Moyen ou téléobjectif

### SENSIBILITÉ ISO

Faible

### FLASH

Désactivé

## 5 LE POINT SUR LES YEUX

Pour un portrait, la mise au point doit toujours être faite sur les yeux. Sauf si vous avez une bonne raison – comme montrer les mains du modèle –, les yeux doivent toujours être nets.

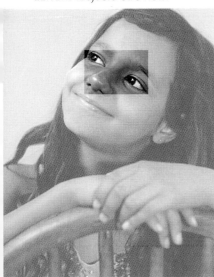

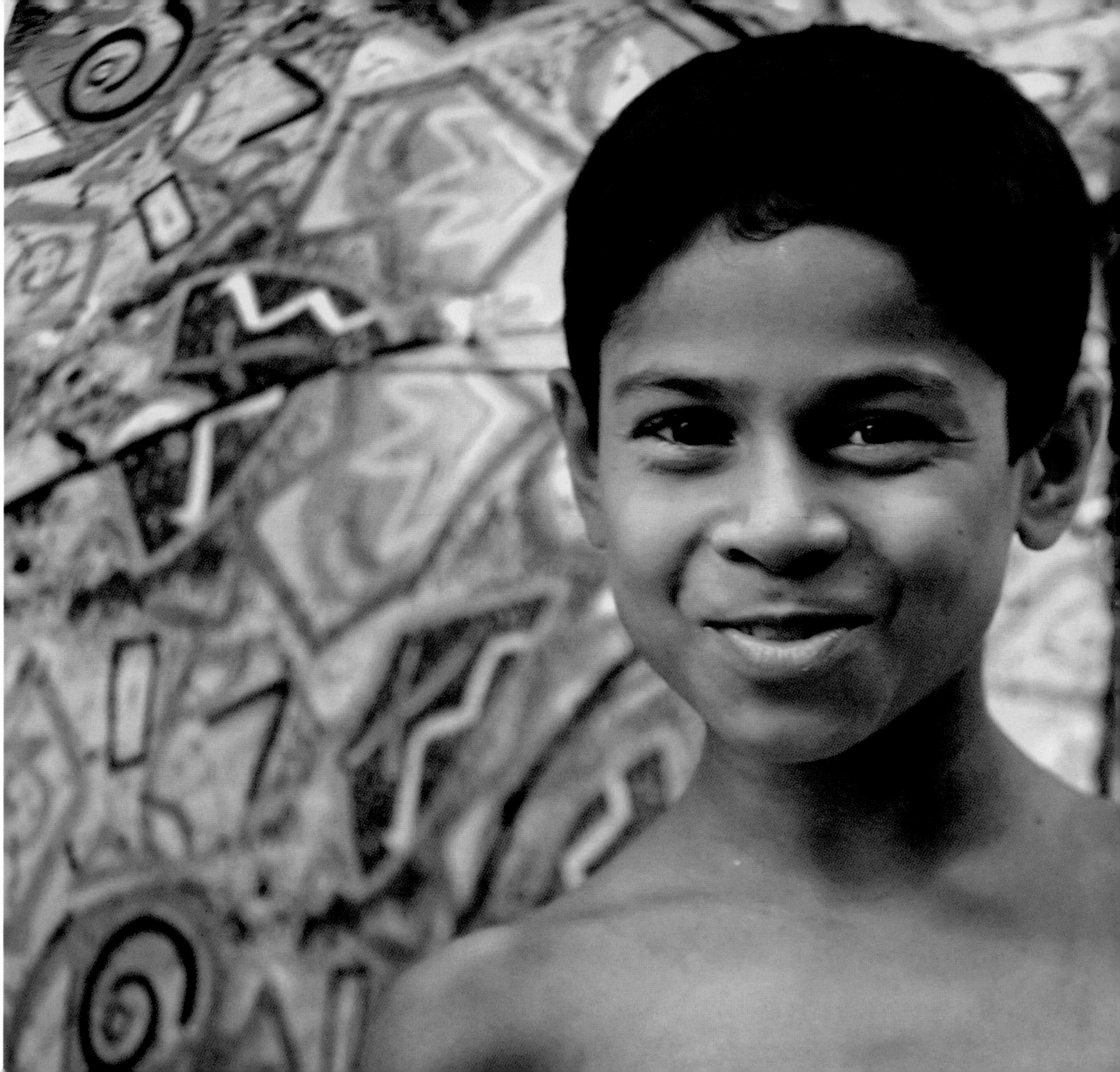

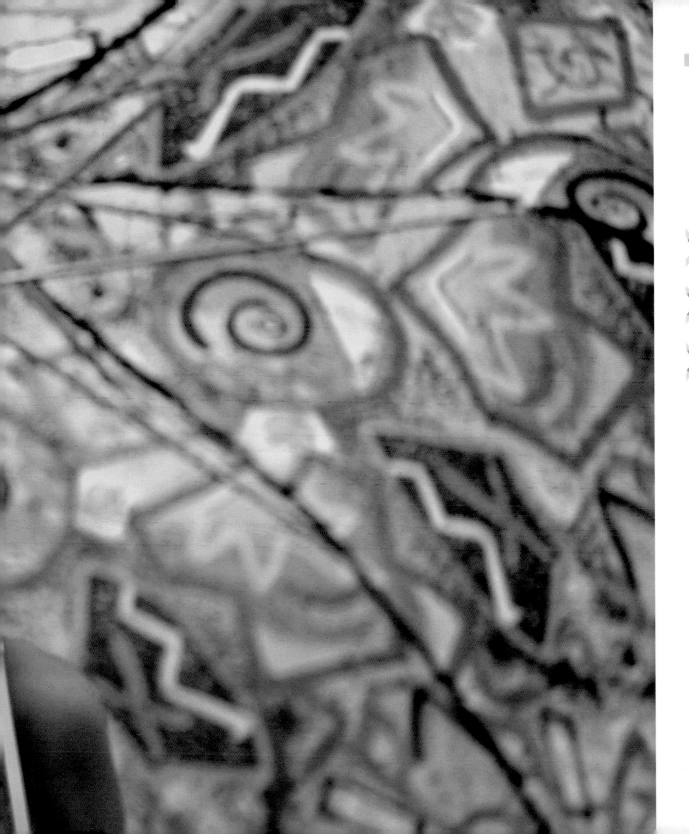

## LE SOURIRE DES YEUX

La photographie en noir et blanc se prête naturellement au portrait. En couleurs, le dessin géométrique du parapluie est un arrière-plan très présent, mais en noir et blanc, l'attention est immédiatement attirée par le sourire amical du garçon.

**1** Une longue focale cadre l'image de manière que le parapluie occupe la totalité du fond.

**2** Sous un soleil direct, mettez le flash sur Automatique afin de déboucher les ombres.

**3** Réalisez le portrait en noir et blanc si vous désirez que la couleur n'accapare pas l'attention.

# La photo de détail

Des détails comme les mains peuvent en apprendre autant sur une personne et sur son mode de vie que son visage. Cette option est intéressante si le modèle n'est pas très à l'aise face à l'appareil. Ces mains décorées au henné sont indubitablement très photogéniques, mais à vrai dire toutes les mains sont expressives, que ce soient celles d'un bébé ou d'un vieux paysan. Donnez-leur de quoi s'occuper pour obtenir des poses plus naturelles.

**COMMENCEZ PAR UN PORTRAIT**
Un portrait conventionnel permet de repérer les détails qui méritent votre attention. Ici, l'arrière-plan noir constitué par le pull est parfait pour les fleurs car il fera ressortir les mains et les mettra en valeur.

**RAPPROCHEZ-VOUS**
Photographiez de près au grand-angulaire ou de plus loin au téléobjectif, puis faites votre choix. Utilisez une sensibilité ISO faible et la meilleure qualité d'image.

**VARIEZ LES FONDS**
Choisissez une lumière tamisée pour des sujets aux textures délicates et aux tons subtils. Essayez différents arrière-plans. Ici, les tons chauds de la brique s'harmonisent avec ceux des fleurs et des mains. En ce domaine, la simplicité est de mise.

**RAPPROCHEZ-VOUS**
Essayez avec des mains avec ou sans bijoux. Demandez au modèle de varier la position de ses mains et photographiez sans cesse. Car c'est en mouvement qu'elles sont le plus naturelles.

Le téléobjectif suggère la
distanciation. Une faible sensibilité
améliore la qualité, et une vitesse
élevée garantit la netteté. Plusieurs
photos ont été prises coup sur coup
pour être sûr d'obtenir une gracieuse
composition.

**MODE DE L'APPAREIL**

 Tout mode d'exposition

**RÉGLAGE DU ZOOM**

 Téléobjectif maximal

**SENSIBILITÉ ISO**

 Faible ou moyenne

**FLASH**

 Désactivé

**5 UTILISEZ LA LUMIÈRE AMBIANTE**
Ici, le sujet baigne dans une
ombre claire. La lumière renvoyée
par le sol illumine les mains par
en dessous.

# La photo de beaux bébés

Tout parent rêve d'avoir une belle photo de son bébé. À l'instar de la photo d'enfant, elle est parfois difficile à obtenir. Les gestes du bébé sont souvent imprévisibles, de même que son humeur qui peut passer en un clin d'œil du sourire aux pleurs. Une patiente préparation permettra de déclencher rapidement et saisir ces moments fugitifs qui font le bonheur de la famille, et de produire la photo qui sera pour toujours un précieux trésor.

 **PRÉPAREZ LE DÉCOR**
Un bébé sera avantagé par un décor sobre et une lumière diffuse qui évoque la douceur. Un drap blanc débouchera les ombres sous le bébé et éclairera son regard.

**2 IMPLIQUEZ LE BÉBÉ**
Laissez-le toucher l'appareil. Car après tout, si vous jouez avec, pourquoi pas lui ? Habituez-le à la présence de l'appareil. Il ne mettra pas longtemps à l'oublier.

**3 CHOISISSEZ LA POSITION**
Mettez le bébé dans différentes positions. Certaines sont plus confortables que d'autres, selon l'âge et les préférences du bébé. Découvrez celles qu'il préfère.

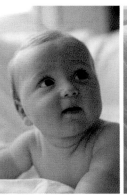

**4 PHOTOGRAPHIEZ SANS ARRÊT**
Les subtilités d'expression sont indiscernables dans le viseur. Ne perdez pas de temps à visionner les photos sur l'écran LCD, surtout si le bébé se montre coopératif. Si vous le quittez des yeux un instant, vous manquerez assurément une grande photo.

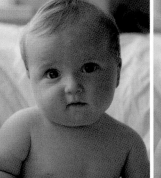

 **POUR CETTE PHOTO**
Le téléobjectif moyen était en mode Gros plan afin que le visage du bébé emplisse le cadre. Grâce au mode Rafale, une centaine de vues environ furent prises en six minutes, offrant ainsi un grand choix d'expressions.

**MODE DE L'APPAREIL**

 Portrait

**RÉGLAGE DU ZOOM**

 Téléobjectif moyen

**SENSIBILITÉ ISO**

 Moyenne ou élevée

**FLASH**

 Désactivé

**5 FAITES-VOUS AIDER**
Demandez à quelqu'un d'amuser le bébé. Mais s'il doit regarder l'objectif, ce sera à vous d'attirer son attention tout en photographiant.

# L'enfant année par année

Beaucoup de parents débordent d'enthousiasme à la naissance du bébé, prenant des centaines de photos de l'enfant. Puis, au fur et à mesure qu'il grandit, le nombre de photos diminue considérablement. Une manière de continuer à photographier régulièrement l'enfant est de considérer son développement comme un projet au long cours dont chaque phase doit être consignée.

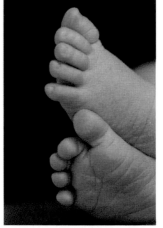

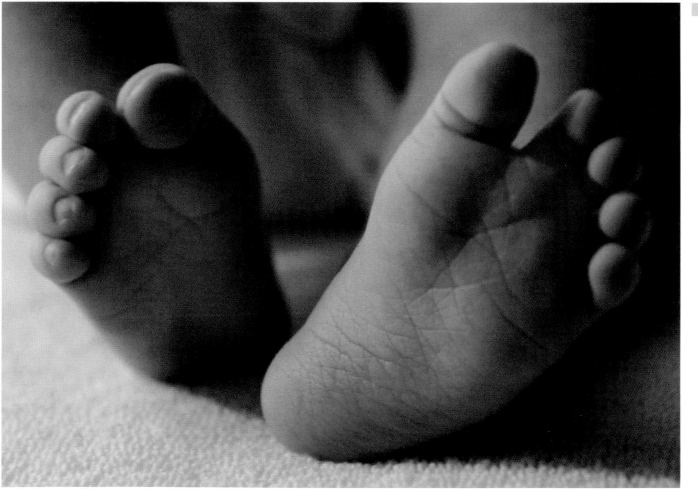

## PENSEZ AUX DETAILS

Il est normal de vouloir enregistrer les expressions sans cesse changeantes du visage du bébé, mais d'autres parties de son corps évoluent aussi très vit

 Approchez le bébé de la fenêtre pour éviter le recours au flash.

 Activez le mode Photo rapprochée pour photograph ses tout petits pieds et mains

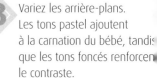 Variez les arrière-plans. Les tons pastel ajoutent à la carnation du bébé, tandis que les tons foncés renforcen le contraste.

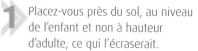

## BOUGIES ET LUMIÈRE FAIBLE

Dans la tradition occidentale, les bougies du gâteau d'anniversaire sont un classique de la photo d'enfant.

**1** Si l'éclairage est atténué, travaillez en lumière ambiante.

**2** Mettez l'appareil sur trépied, car le flash détruirait l'ambiance.

## ESPRIT D'ÉQUIPE

Le développement social de l'enfant se manifeste lors des jeux collectifs. Ces photos seront pour lui des traces précieuses de ses amis.

**1** Incitez la petite bande à poser, mais sans en faire trop. L'amusement doit primer.

**2** Prenez des vues en rafale pour être sûr d'avoir tout le monde.

## LES PREMIERS PAS

Les premiers pas de bébé sont un moment important pour lui et pour ses parents. Tout en étant très fiers de ce progrès, ils mesurent aussi que la confiance en soi du bébé favorisera sa mobilité et son indépendance.

**1** Placez-vous près du sol, au niveau de l'enfant et non à hauteur d'adulte, ce qui l'écraserait.

**2** Évitez le flash. Il dérange l'enfant, très concentré à garder son équilibre.

**3** Si possible, photographiez dehors avec une bonne lumière, sous une ombre ouverte plutôt qu'en plein soleil.

## PHOTO DE GROUPE

Entourés de leurs amis, les enfants sont plus à l'aise devant l'appareil. En groupe, ils sont plus enclins à révéler leur personnalité.

**1** Pour que la séance de poses se déroule bien, flattez leur goût pour les farces et l'amusement.

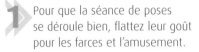

**2** Au lieu de les aligner sur un banc, recherchez un environnement qui se prête à la photo de groupe.

**3** Soyez rapide. Les enfants s'ennuient vite, et leur intérêt retombé, il sera quasiment impossible de réobtenir leur coopération

### LEUR ACTIVITÉ PRÉFÉRÉE

Des enfants timides devant l'objectif le sont moins s'ils peuvent montrer ce dont ils sont fiers ou qui les passionne, comme leur instrument de musique.

**1** Montrez l'objet de leur passion autant que leur visage.

**2** Variez les poses à différentes focales et sous divers angles.

## PENSÉES PROFONDES

Le portrait le plus ardu à réaliser est celui d'un sujet réticent. Il est notoirement connu que les adolescents rechignent à figurer dans l'album de famille. Pour les photographier, ne les obligez ni à poser ni à sourire. En fait, ne leur demandez aucun effort.

**1** Photographiez tranquillement, rapidement et discrètement sans donner de directives.

**2** Ne demandez pas au sujet de sourire, à moins qu'il n'apprécie la séance de photos.

**3** Convertissez la photo en noir et blanc pour restituer l'ambiance et la personnalité.

# L'autoportrait familial

Un portrait de famille – pour réaliser une carte postale que vous destinez à vos proches et amis, ou à vous-même – peut se révéler extrêmement difficile à organiser. Il faut souvent du temps pour réunir tout le monde au même endroit et dans un même état d'esprit. L'écran de contrôle d'un appareil numérique est pratique car il permet non seulement de voir l'image immédiatement, mais il encourage aussi tout le monde à coopérer pour obtenir une belle photo.

## 1 DES VÊTEMENTS APPROPRIÉS

Des couleurs vives risquent de faire paraître la peau pâle. Veillez à ce que les vêtements d'une personne ne dominent pas dans l'image. Pensez aux habits à l'avance et tentez d'uniformiser l'ensemble des tonalités.

## 2 PRÉPAREZ-VOUS

Appliquez un peu de poudre de riz sur les visages – même ceux des hommes – afin d'atténuer les reflets et brillances causés par l'éclair du flash. Invitez tout le monde à se coiffer.

## 3 PRÉPAREZ LES LIEUX

Éloignez le canapé du mur pour éviter que des ombres dures se découpent directement derrière les personnes photographiées.

## 4 UTILISEZ LE RETARDATEUR

Placez l'appareil sur un trépied, orientez-le, disposez tout le monde en vous réservant une place pour figurer dans la photo. Réglez le retardateur de manière à vous laisser le temps de vous installer. Il prévient généralement un peu avant le déclenchement, ce qui évite d'avoir à figer longuement le sourire.

# Portrait de famille informel

Si faire le portrait d'une seule personne est délicat, la difficulté s'accroît notablement lorsque vous essayez de réaliser un portrait informel de toute la famille. La clé de la réussite tient au fait que chaque membre doit avoir l'impression de contribuer à sa manière à la photo. Chacun doit pouvoir choisir sa tenue, celle dans laquelle il est à l'aise par exemple. Car le but est d'obtenir un portrait de groupe où tout le monde est détendu et naturel.

L'une des difficultés du portrait de groupe est la multiplicité des visages, surtout quand chacun parle, cligne de l'œil ou regarde ailleurs. Vérifiez l'image en l'agrandissant sur l'écran de contrôle avant de mettre fin à la séance de poses.

## 1 FAITES DES ESSAIS

Pour que les enfants ne s'impatientent pas, faites des essais avec uniquement les parents. Étudiez l'arrière-plan et préréglez l'appareil. Voyez comment disposer toute la famille.

## 2 ÉTUDIEZ L'ÉCLAIRAGE

En extérieur, la lumière peut changer pendant vos préparatifs. Pour une photo de groupe, il est préférable que l'éclairage soit régulier. Évitez de placer des personnes au soleil et d'autres à l'ombre, car l'exposition serait délicate à régler.

## 3 POSEZ ET COMPOSEZ

L'appareil sur pied, il est facile de faire bouger les sujets pendant la prise de vue. Parlez et dirigez tout en photographiant. Ne vérifiez les vues qu'à la fin pour ne manquer aucune opportunité.

## POUR CETTE PHOTO

Un grand-angulaire modéré embrasse le jardin et tout le groupe. L'ouverture minimale produit une grande profondeur de champ. Pour une meilleure qualité, la sensibilité est réduite et la taille d'image est maximale.

### MODE DE L'APPAREIL
Priorité à l'ouverture

### RÉGLAGE DU ZOOM
Grand-angulaire moyen

### SENSIBILITÉ ISO
 Faible

### FLASH
Désactivé

## 4 METTEZ AU POINT
Une composition symétrique convient à la photo de groupe. Quel que soit votre cadrage, faites toujours la mise au point sur le personnage central.

## À LA PLAGE

Les photos de vacances sont trop souvent figées et guindées parce que les gens ont dû poser. Par ailleurs, la composition des photos prises sur le vif peut paraître désordonnée. Le secret est de photographier discrètement et en soignant le cadrage.

**1** Laissez l'appareil en veille, réglé en position Grand-angulaire.

**2** Par temps très ensoleillé, utilisez le flash pour déboucher les ombres.

**3** N'hésitez pas à cadrer serré et à éliminer un peu des personnages. Tout le monde n'a pas à être sur le même plan.

# Le portrait formel

La demande de portraits formels est aussi forte qu'aux premiers temps de la photographie, mais peu d'amateurs s'y risquent. C'est dommage car réaliser des portraits peut être très gratifiant. Les meilleurs sont ceux qui révèlent un aspect du modèle. Commencez par demander à vos proches et amis de poser pour vous. Le rapport que vous entretenez déjà avec eux aidera à lever toutes réticences. Cette relation de confiance vous permettra de saisir la personnalité de votre sujet.

**1 DÉTENDEZ LE SUJET**
Impliquez le modèle dès le début. Détendez-le et mettez-le en confiance par quelques prises de vue informelles, en lui montrant comment il « passe bien » à l'image. Il sera ainsi plus disposé pour des photos plus formelles.

**2 REPÉREZ LES LIEUX**
Explorez les lieux à la recherche du meilleur emplacement pour la photo. Il faut une bonne lumière ainsi qu'un arrière-plan intéressant, mais ni trop voyant ni trop envahissant. Essayez différents sites.

**3 DIRIGEZ VOTRE SUJET**
Encouragez-le à s'asseoir ou à se tenir debout en prenant des poses naturelles. Après avoir commencé à prendre des photos, continuez à donner des instructions mais sans que cela devienne une conversation qui risquerait de le distraire. Pensez à la position du sujet dans le cadre. Variez le zoom et les angles.

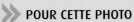

## POUR CETTE PHOTO

Le zoom est la focale moyenne. Pour une qualité optimale, la sensibilité est faible et la taille d'image élevée. L'exposition a été compensée pour préserver la luminosité des hautes lumières.

### MODE DE L'APPAREIL
Portrait

### RÉGLAGE DU ZOOM
Moyen

### SENSIBILITÉ ISO
Faible

### FLASH
Désactivé

## 4 VARIEZ LES POSES

Après chaque séance, demandez au modèle de varier très légèrement ses poses et ses expressions.

# Saisir l'esprit de la fête

L'atmosphère joviale d'une petite fête en fait un sujet facile à photographier : la plupart des convives sont en milieu connu, détendus et disposés à sourire. Mais si vous désirez réellement apporter à vos photos un élément de surprise, d'humour ou de la classe, vous devrez vous mettre en retrait. Quittez la fête un moment puis revenez en tant qu'observateur objectif. Vous pourrez alors vous concentrer sur les attitudes, les expressions et les gestes révélateurs.

## POUR CETTE PHOTO

Mode Sport et sensibilité ISO élevée, sans flash pour préserver la lumière ambiante. Photo au grand-angulaire, en légère contre-plongée pour montrer le motif des parasols qui contraste avec les vêtements sombres.

### MODE DE L'APPAREIL

 Sport

### RÉGLAGE DU ZOOM

 Grand-angulaire

### SENSIBILITÉ ISO

 Élevée

### FLASH

 Désactivé

## LES PETITS DÉTAILS

Recherchez d'autres sujets de photo que les participants à la fête. Au bar, les consommations sont souvent très colorées, avec des effets de lumière et de transparence qui autorisent de belles compositions. De plus, le nombre de verres, leur diversité et leur contenu donnent une idée de la fête.

### 1 TROUVEZ L'ANGLE

Placez-vous en hauteur pour montrer la foule. Si ce n'est pas possible, prenez plusieurs vues générales au grand-angulaire, l'appareil tenu à bout de bras au-dessus de la tête, légèrement penché vers le bas.

### 2 MONTREZ DES PETITS GROUPES

Mêlez-vous à de petits groupes, montrez-leur les photos que vous venez de prendre afin de les intéresser. Ils seront ainsi plus disposés à se laisser photographier.

### 3 NE LÂCHEZ PAS LE SUJET

Une fois la coopération du groupe acquise, variez les points de vue, angles et cadrages, du plan d'ensemble au plan très rapproché. Les personnes que vous photographiez seront à la fois détendues et amusées, ce qui donnera des photos plus vivantes.

SAISIR L'ESPRIT DE LA FÊTE >> LES GENS **97**

# ÉTUDE DE NU

Le corps humain – la diversité de ses formes, sa couleur et l'effet de l'âge – est un magnifique sujet pour la photographie, à la portée de tous. Le secret réside dans la confiance mutuelle entre vous et le modèle. Vous serez surpris de la facilité avec laquelle il donne son accord, surtout si vous l'assurez de la discrétion et du bon goût des photos. Ne vous laissez pas entraver par la technique : le sujet est beau en soi et les approches variées.

Privé de couleur, le corps humain est réduit à des formes épurées et à des volumes. Activez le mode Noir et blanc ou convertissez la photo en couleurs dans l'ordinateur. Si vous photographiez en couleurs et si les tons de la peau ne sont pas satisfaisants, la conversion en noir et blanc permettra sans doute de sauver la photo.

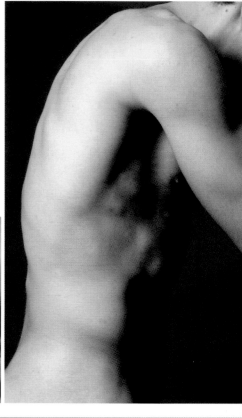

### 1 ÉVITEZ LES FONDS CHARGÉS

Préférez un arrière-plan uniforme car il met le corps en valeur. Quand vous aurez acquis de l'expérience, vous pourrez essayer des arrière-plans plus compliqués.

### 2 DIRIGEZ LE MODÈLE

Demandez-lui de prendre des poses simples et naturelles. En photo de nu, les grands gestes paraissent facilement exagérés et affectés.

### 3 UTILISEZ DES ACCESSOIRES

Un chapeau, un châle ou d'autres accessoires contribuent à détendre le modèle en l'occupant.

## POUR CETTE PHOTO

Une longue focale à distance moyenne, sans flash, resserre le cadrage et élimine l'arrière-plan. J'ai opté pour la qualité d'image maximale, en choisissant notamment une sensibilité ISO faible.

### MODE DE L'APPAREIL

 Programme

### RÉGLAGE DU ZOOM

Téléobjectif moyen

### SENSIBILITÉ ISO

Faible

### FLASH

Désactivé

## 4 ZOOMEZ ET RECADREZ

Demandez au modèle de se mouvoir lentement et régulièrement. Essayez différentes focales pour montrer plus ou moins de détails du corps.

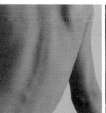

# Le portrait de caractère

Le visage de certaines personnes est si intéressant que le photographier s'impose. Pour ce genre de portrait, il est important de se rendre compte que le modèle peut être nerveux ou timide, d'où des poses maladroites, tendues ou une tendance à en faire trop. Détendez le modèle. Pour un portrait en gros plan, le téléobjectif mettra de la distance entre lui et vous. À moins que vous ne préfériez le grand-angulaire, avec un peu de recul, pour montrer le modèle dans son environnement.

**1 ÉCLAIREZ**
Placez le modèle sous un bon éclairage, près d'une fenêtre qui n'est pas directement éclairée par le soleil. La lumière diffuse détaille bien les traits du visage. Rapprochez-vous du sujet au fur et à mesure qu'il se détend.

**2 DÉCONTRACTEZ-LE**
Le modèle sera plus détendu et sa pose plus décontractée si ses mains sont occupées. Faites-lui tenir une tasse de café ou un outil propre à son métier. Parlez et discutez pendant toute la séance de pose.

**3 PARTAGEZ**
Montrez quelques-unes des photos au modèle afin qu'il vous dise celles qu'il préfère et voie ce que vous essayez d'obtenir. Le partage peut se révéler profitable pour chacun de vous.

**4 MITRAILLEZ**
Prenez beaucoup de photos pour mettre le modèle en confiance et tentez de saisir les expressions fugaces qui caractérisent le mieux la personne. N'oubliez pas que le moindre changement de position affecte l'éclairage.

## POUR CETTE PHOTO

Je me suis placé à 2 mètres pour mettre le sujet à l'aise. La priorité à l'ouverture ainsi que la meilleure qualité d'image font que le diaphragme est ouvert au maximum, d'où une profondeur de champ réduite.

### MODE DE L'APPAREIL

 Portrait

### RÉGLAGE DU ZOOM

 Téléobjectif moyen

### SENSIBILITÉ ISO

 Moyenne

### FLASH

 Désactivé

## 5 LE POINT SUR LES YEUX

Veillez à ce que l'œil le plus proche soit parfaitement net. Un très léger flou du reste du visage est acceptable.

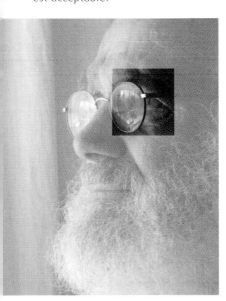

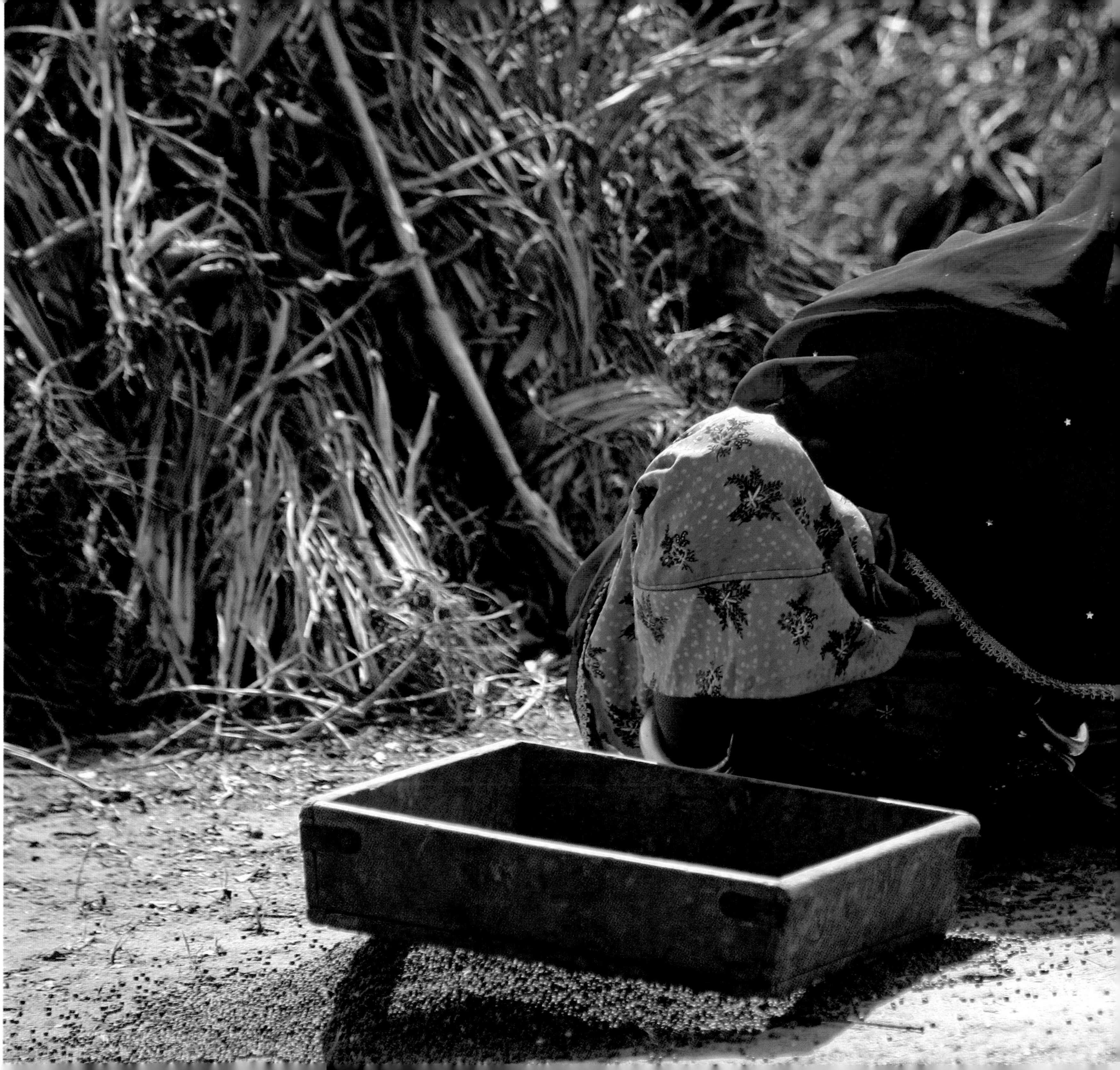

## SCÈNE RURALE AU SOLEIL

Un jour très ensoleillé pose toujours un épineux problème d'exposition pour l'appareil photo. Dans cette scène de travail aux champs dans le Rajasthan, en Inde, l'éclairage latéral permet de saisir à la fois les parties éclairées du sujet et celles qui sont dans l'ombre.

**1** Observez et attendez un moment fort pour déclencher.

**2** Zoomez dans la scène afin de réduire les zones fortement éclairées qui n'apportent rien.

**3** Exposez pour la couleur qui compte, le voile rouge de la femme en l'occurrence.

**4** Pour aviver les couleurs, comme le rouge du voile, placez-vous de manière que la lumière se reflète dessus.

# Personnages en situation

Les parcs publics sont des lieux particulièrement intéressants pour le photographe, notamment si on y trouve un lac ou une rivière, ou une faune en liberté. En raison de la diversité des gens qui le pratiquent,

le canotage offre d'innombrables occasions de photographier des personnes heureuses de se détendre. Un téléobjectif puissant permet de travailler depuis la rive, à l'insu de ceux que vous photographiez.

### 1 OBSERVEZ LA SCÈNE

Il se passe beaucoup de choses tout autour de vous. Prenez le temps de vous immerger dans l'ambiance et recherchez des sujets prometteurs. Ici, plusieurs groupes font du canotage en discutant, riant et s'amusant.

### 2 MITRAILLEZ

Tout en photographiant, vous vous rendrez compte que certaines personnes attirent plus votre attention que d'autres, à cause de leur comportement sur la barque, de leurs vêtements... Prenez beaucoup de photos en variant le cadre et la composition.

### 3 PROTÉGEZ LA VISÉE

Si le soleil est très fort, placez-vous à l'ombre. Les couleurs des sujets en lumière diffuse sont bien meilleures. Si votre appareil n'a pas de viseur mais seulement un écran, faites de l'ombre avec la main pour mieux distinguer l'image.

### 4 SAISISSEZ L'INSTANT DÉCISIF

Ayez le réflexe de déclencher dès qu'il se passe quelque chose, sans même analyser la situation. Doublez ou triplez rapidement la photo pour ne rien manquer de la scène.

**CADRE NATUREL**
Ce déferlement de matériaux roses forme un cadre approprié pour ce portrait. En tamisant la lumière, il adoucit agréablement les traits du visage.

**RÉVÉLER LA PERSONNALITÉ**
Révélez indirectement la personnalité en photographiant le sujet avec son animal de compagnie ou avec les outils propres à son métier.

**UN ARRIÈRE-PLAN APPROPRIÉ**
En règle générale, un arrière-plan chargé est déconseillé pour un portrait. Mais si les couleurs s'harmonisent avec le sujet, le portrait peut en tirer parti.

### POSE DÉCONTRACTÉE

Un sourire et une attitude décontractée peuvent transformer un portrait formel à la composition très symétrique en photo informelle.

### PORTRAIT À DISTANCE

Si les gens ne savent pas exactement qui vous êtes, ils seront moins gênés si vous prenez leur portrait à distance avec un téléobjectif.

### ÉCLAIRAGE DRAMATIQUE

N'hésitez pas à expérimenter des lumières. Ici, la forte lumière de la fenêtre découpe magnifiquement le visage. Veillez à ce que les ombres restent denses.

Paysages
et nature

12345678

**Paysages et nature** peuvent se conjuguer avec les dernières technologies pour produire de magnifiques images. Au travers de vos photos, vous célébrerez les nombreux aspects de la planète, sa végétation, sa lumière et le fil des saisons. Et par là même, vos images militeront contre les puissances qui menacent l'environnement. Votre amour de la nature et la manière dont vous la photographiez engendreront un concours permanent entre la technique et votre regard. Vous apprendrez à découvrir les meilleurs points de vue, à composer les images, à mêler l'ombre et la lumière, et aussi saisir les phénomènes naturels dans toute leur force, et travailler avec n'importe quelle lumière.

# Un paysage de montagne

Arrivé dans un site célèbre pour sa magnificence, vous vous êtes sans doute demandé comment une seule photo pouvait rendre toute la grandeur du lieu. Le choix est toujours cornélien et dans de tels moments, il vaut mieux laisser l'appareil de côté, se promener un peu et s'imprégner des lieux. La photo que vous prendrez ensuite sera celle qui restituera le mieux tout ce que vous avez éprouvé.

## POUR CETTE PHOTO

J'ai opté pour un grand-angulaire modéré. Le sentier offre un beau point de vue et, en me penchant vers la gauche, l'arbre qui gênait a été « déplacé » vers la droite. Puis j'ai attendu une belle lumière.

**MODE DE L'APPAREIL**

Paysage

**RÉGLAGE DU ZOOM**

Moyen ou grand-angulaire

**SENSIBILITÉ ISO**

Faible

**FLASH**

Désactivé

### 1 RECHERCHEZ LES POINTS DE VUE

Ils ne manquent pas dans la montagne et la première photo sera souvent faite depuis le plus évident. Ne vous limitez pas à si peu et trouvez-en d'autres.

### 2 PENSEZ AU PREMIER PLAN

Il contribue à suggérer la profondeur et à situer le sujet. Choisissez-le avec soin, car le premier plan a une fâcheuse propension à devenir l'élément dominant de la photo, ce qui n'est sans doute pas l'effet recherché.

### 3 CADREZ LA PHOTO

En montagne, le vaste paysage et l'immensité du ciel offrent d'innombrables possibilités, démultipliées par le choix des focales. Équilibrez la composition et tentez d'inclure un élément isolé, comme un arbre proche. Attendez que la lumière sculpte le roc et le mette en valeur.

# Les jardins en fleurs

Un beau jardin en pleine floraison est un plaisir pour les yeux et un paradis pour le photographe, tant il offre des occasions de prises de vue. Le plus ardu, au plus fort de l'été, est souvent de choisir ce qui ne doit pas être photographié. Il existe de nombreuses sortes de jardins, publics ou privés, qui ont chacun leur personnalité et exigent une approche photographique particulière. Essayez différents cadrages, du plus vaste à l'extrême gros plan.

 **ESSAYEZ DIFFÉRENTS ANGLES**
Les écrans de contrôle, notamment ceux qui basculent et pivotent, permettent de cadrer en tenant l'appareil au ras du sol ou très en hauteur.

 **PRENEZ D'EN HAUT...**
La géométrie d'un jardin à la française se révèle mieux depuis un point de vue élevé. Le grand-angulaire n'est pas toujours indispensable. Même un objectif normal peut révéler ses nettes symétries.

 **... OU DE BAS EN HAUT**
Avec ses oppositions de formes et de couleurs, le jardin à l'anglaise est plus difficile à photographier. Un téléobjectif et un angle bas permettent d'apporter un semblant d'ordre dans la composition.

 **POUR CETTE PHOTO**
Un téléobjectif réglé au maximum
ainsi qu'une faible sensibilité
réduisent la profondeur de champ.
La réussite de la composition
dépend d'un juste dosage du flou
de l'arrière-plan.

**MODE DE L'APPAREIL**
 Sport

**RÉGLAGE DU ZOOM**
Téléobjectif maximal

**SENSIBILITÉ ISO**
Faible

**FLASH**
Désactivé

**4 RÉGLEZ LA PROFONDEUR DE CHAMP**
Grâce à un fort téléobjectif, seules
quelques fleurs sont nettes tandis
que l'environnement reste joliment
dans le flou.

# Gros plans de fleurs

Belles à voir, les fleurs sont un sujet de choix pour le photographe, mais elles sont incroyablement difficiles à bien photographier. Ce n'est ni leur immobilité, ni leurs formes débordantes de couleurs qui présentent un obstacle, mais la nécessité de photographier de très près : dès lors, la mise au point devient très délicate, le moindre mouvement est amplifié et la profondeur de champ est extrêmement réduite.

**1 UTILISEZ UN TRÉPIED**
Grâce au trépied, l'appareil photo sera très stable, permettant de prolonger la durée de l'exposition et d'augmenter ainsi la profondeur de champ. Choisissez un jour sans un souffle de vent car la fleur doit elle aussi rester immobile.

**2 SOIGNEZ LA COMPOSITION**
Recherchez les fleurs ayant la plus belle floraison, groupées si possible. Photographiez ensuite le groupe tout entier, avec ses feuilles, ou prenez une photo très rapprochée « à vue d'abeille ».

**3 DIFFUSEZ LA LUMIÈRE**
La dureté d'une lumière directe peut être atténuée par un flash d'appoint. Une autre solution consiste à diffuser la lumière avec une feuille de papier blanc afin d'adoucir l'éclairage.

## POUR CETTE PHOTO

J'ai sélectionné le mode Macro ou Photo rapprochée et utilisé une feuille de papier blanc comme diffuseur. La priorité à l'ouverture avec le diaphragme fermé au maximum procure une profondeur de champ maximale.

### MODE DE L'APPAREIL
Priorité à l'ouverture

### RÉGLAGE DU ZOOM
Macro

### SENSIBILITÉ ISO
Faible ou moyenne

### FLASH
Automatique

## 4 NETTOYEZ LA FLEUR

Ôtez les fleurs fanées ou les tiges qui pourraient gêner. Mais si ces éléments ne sont pas envahissants, la photo sera plus naturelle.

# Fleurs et feuillage

La beauté enchanteresse de la végétation, notamment celle des fleurs, suscite l'admiration et inspire les arts depuis la nuit des temps. La photographie permet aujourd'hui à quiconque, plus facilement que toute autre technique artistique, d'enregistrer la diversité graphique de la flore. Faites mieux encore en créant de véritables documents qui décrivent la plante tout en la montrant sous son plus beau jour.

## FAIRE CHANTER LES COULEURS

De prime abord, ces fleurs semblent faciles à photographier. Mais très rapidement, la masse florale qu'elles représentent encombre l'image. La solution consiste à ne choisir que quelques fleurs et à les faire ressortir sur un fond qui avive leurs couleurs.

**1** Mesurez la lumière sur les fleurs. Laissez l'arrière-plan sombre.

**2** Utilisez le téléobjectif pour que les fleurs soient nettes et le fond flou.

**3** N'utilisez le flash que si c'est indispensable, car il casse la lumière naturelle.

## RELEVER L'INTÉRÊT

Ce nénuphar est certes magnifique, mais seule la présence d'un insecte rend la photo plus vivante.

**1** Utilisez le flash en plein jour pour figer l'insecte et déboucher les ombres.

**2** Utilisez le téléobjectif et rapprochez-vous au maximum.

**3** Faites le point sur une fleur et attendez qu'un insecte s'y pose.

## À CONTRE-JOUR

Photographiées à contre-jour, les grandes feuilles, comme celles de ce taro, révèlent leur structure.

**1** Utilisez un grand-angulaire et rapprochez-vous autant que possible.

**2** Choisissez un détail où la symétrie prime, plutôt qu'une masse de feuillage informe.

## LE POINT SUR LES GOUTTELETTES

Les gouttelettes qui pendent aux feuilles et aux fleurs, montrant chacune une miniature de la plante, font étinceler l'image.

**1** Choisissez un angle sous lequel les gouttes accrochent bien la lumière.

**2** Utilisez le téléobjectif avec une ouverture maximale afin que le fond soit flou.

**3** Composez soigneusement. Le moindre changement d'angle peut ruiner l'effet.

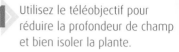
Pour que la couleur d'une fleur éclate, isolez-la sur un arrière-plan sombre qui mettra sa forme en évidence.

**1** Utilisez le téléobjectif pour réduire la profondeur de champ et bien isoler la plante.

**2** Exposez pour les parties claires, ce qui assombrira les ombres.

## ABSTRACTION MONOCHROME

Les plantes résolument symétriques s'accordent bien à la sobriété du noir et blanc. Pour plus d'impact, optez pour une composition dépouillée.

**1** Essayez différents éclairages. Ici, le flash direct produit des contrastes forts et des lignes bien découpées.

**2** Cadrez bien d'équerre afin que ce motif dépouillé soit parfaitement net et mis en page.

**3** Activez le mode Noir et blanc ou prenez la photo en couleurs, puis convertissez-la en noir et blanc ultérieurement, sur l'ordinateur.

## COMPOSITION FOUILLÉE

En photo florale, tout ne doit pas nécessairement être clair et net. La nature offre un fouillis de formes et de motifs qui invitent à photographier au feeling.

**1** Placez l'appareil au cœur du fouillis floral, en mode Photo rapprochée.

**2** Désactivez le flash, car sa lumière risque d'être trop dure.

## GROS PLAN EXTRÊME

Plus vous vous rapprochez du sujet, plus il se révèle. La profondeur de champ devient en revanche ténue, limitant considérablement la zone de netteté. Utilisez la sensibilité maximale.

**1** Utilisez le mode Macro ou Photo rapprochée, au grand-angulaire.

**2** Essayez de placer sur un même plan tout ce qui doit être net.

## DÉBOUCHEZ LES OMBRES

Placez un miroir ou une feuille de papier blanc sous ou à proximité de la plante (mais pas dans l'ombre) afin de l'éclairer par réflexion. La photo à gauche a été prise dans le miroir car les fleurs pendaient.

**1** Pour rehausser les couleurs dans les parties sombres, éclairez avec d'autres miroirs et morceaux de papier.

**2** Utilisez des miroirs pour renvoyer de la lumière dure, du papier ou du tissus clair pour la diffuser.

## PÉTALES ET REFLETS

Des pétales et des brindilles flottant sur l'eau ne paraissent tout d'abord pas très attrayants. Mais si vous vous positionnez de manière que le soleil se reflète dans l'eau, ils prendront soudainement vie.

**1** Mesurez l'exposition sur les tonalités à préserver, celles des pétales en l'occurrence.

**2** Maintenez l'appareil bien perpendiculaire au plan d'eau afin que tout soit bien net.

**3** N'ôtez aucune brindille ou pétale fané, même s'ils sont dans le champ, car ils apportent quelque chose à l'image.

# Le paysage campagnard

Les campagnes sont remplies de maisons qui s'intègrent parfaitement dans leur environnement. Les habitations en ruine sont pour le photographe des sujets de choix selon l'angle sous lequel elles sont photographiées, le moment de la journée ou la qualité de la lumière. Cette vieille ferme peut être lugubre sous la pluie ou inquiétante au clair de lune, mais, en dépit de son délabrement et des herbes folles, elle ne manque pas de charme au soleil.

## POUR CETTE PHOTO

Un grand-angulaire moyen réglé à l'ouverture minimale offre un maximum de profondeur de champ. Le point de vue au ras du sol montre la ruine dans son environnement. Quelques ombres ont été débouchées au flash.

### MODE DE L'APPAREIL

Paysage

### RÉGLAGE DU ZOOM

Grand-angulaire

### SENSIBILITÉ ISO

Faible

### FLASH

**Activé** ou **Désactivé** selon le cas

## LA SÉCURITÉ D'ABORD

Veillez à ne pas commettre de violation de domicile. Dans une ruine, protégez-vous des chutes de pierre et des autres dangers en portant un casque ; demandez l'avis d'un spécialiste du bâtiment. Dans le doute, restez dehors.

## 1 RECHERCHEZ DES POINTS DE VUE

Promenez-vous autour de l'édifice et photographiez-le sous différents angles. Si une façade est à l'ombre, vous devrez revenir à un autre moment de la journée, quand elle sera éclairée.

## 2 TRAVAILLEZ AVEC LA LUMIÈRE

Si la lumière est plate, les détails ne seront pas discernables et la photo manquera de profondeur. Un judicieux mélange d'ombre et de lumière suggère mieux les volumes, l'échelle et le caractère d'un bâtiment.

## 3 EXPLOITEZ LE PREMIER PLAN

Mettez des éléments du premier plan en valeur en optant pour un point de vue bas. Utilisez le grand-angulaire à faible ouverture pour maximiser la profondeur de champ et avoir tout bien net.

# La photo panoramique

Un vaste panorama suscite l'irrésistible envie de le photographier dans toute son ampleur. La photo numérique facilite la création de superbes vues panoramiques. Vous devez d'abord prendre une série de photos puis les mettre bout à bout à l'aide d'un logiciel. Un panorama peut se limiter à la juxtaposition de deux vues, ou couvrir 360°. Plus une photo panoramique est large, plus elle est spectaculaire.

 **TROUVEZ UN SITE QUI CONVIENT**
Toute scène qui vous oblige à tourner la tête pour la voir en entier est appropriée. Il est préférable que la lumière ne soit pas trop changeante afin d'éviter des différences de densité visibles au raccord entre les vues.

 **RÉGLEZ L'APPAREIL**
Choisissez l'exposition manuelle et réglez l'appareil. Choisissez une focale de 35 mm ou son équivalent ; c'est la focale la plus large sur la plupart des compacts.

**UTILISEZ UN TRÉPIED**
Bien qu'il ne soit pas absolument indispensable, il permettra d'obtenir des images plus nettes et un meilleur panorama. Mais surtout, l'appareil sera à niveau d'une photo à l'autre.

 **ORIENTEZ L'APPAREIL**
Pour de meilleurs résultats et pour réduire les déformations, cadrez à la verticale. Il faudra plus de photos pour le panorama, mais cela en vaut la peine. Si possible, il est préférable que l'appareil puisse pivoter exactement sur l'axe du trépied.

## POUR CETTE PHOTO

Le grand-angulaire large, une image de petite taille et une sensibilité ISO faible garantissent la qualité. La mesure manuelle de la lumière évite que l'exposition change d'une vue à une autre.

**MODE DE L'APPAREIL**

Manuel

**RÉGLAGE DU ZOOM**

Grand-angulaire

**SENSIBILITÉ ISO**

Faible

**FLASH**

Désactivé

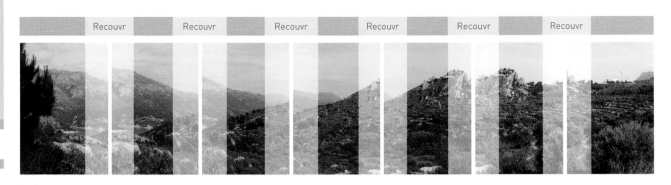

Recouvr  Recouvr  Recouvr  Recouvr  Recouvr  Recouvr

### 5 ACCOLEZ LES PHOTOGRAPHIES

Prévoyez un recouvrement d'au moins 30 % entre les photos. Le mode Panorama de certains appareils permet de l'obtenir. Cela fait, vous pouvez rabouter les vues dans l'ordinateur, manuellement ou à l'aide d'un logiciel spécialisé. Le recouvrement permet d'aligner correctement les vues ; plus il est important, meilleure sera la fusion. Mais même avec des images de petite taille, le fichier final risque d'être volumineux.

# Le paysage en noir et blanc

Le paysage en noir et blanc dissocie la scène telle que vous l'avez perçue de la manière dont vous la montrez et permet de mieux maîtriser le sujet. Non seulement vous choisissez la vue, mais vous décidez aussi de son apparence. Le noir et blanc révèle les formes, les volumes et l'aspect graphique de l'image, au lieu de donner simplement à voir. Le résultat final dépend grandement des différentes lumières aux différents moments du jour.

**LES IMAGES TEINTÉES**

Donnez à une image en noir et blanc un aspect ancien grâce à un virage sépia ou or. La densité de l'effet peut varier du léger au très fort. Certains appareils possèdent un mode Sépia. Sinon, vous pourrez facilement le créer à l'aide d'un logiciel de retouche.

**Virage sépia**          **Virage or**

## 1 ÉTUDIEZ LES POSSIBILITÉS

Un paysage en noir et blanc est presque toujours aussi spectaculaire qu'en couleurs. Certaines scènes contiennent toutefois un élément qui se prête particulièrement bien au noir et blanc. C'est le cas d'un vieux mur d'enceinte en pierre ou d'une terrasse.

## 2 RECHERCHEZ LES LUMIÈRES ET LES LIGNES

Repérez les lignes de force qui conduisent le regard dans l'image et l'angle sous lequel la lumière met les formes en relief. Vérifiez la composition sur l'écran de contrôle.

## 3 EXAMINEZ LA SCÈNE

Décalez légèrement votre point de vue de côté, ou plus haut ou plus bas, afin de trouver le meilleur angle. Prenez votre temps pour regarder attentivement le sujet. Cette recherche fait aussi partie du plaisir de la photographie.

## POUR CETTE PHOTO

Avec le grand-angle au maximum et le diaphragme très fermé, la mise au point fut faite à mi-distance – et non sur l'arrière-plan – afin d'obtenir une vaste profondeur de champ. L'appareil était en mode Noir et blanc.

### MODE DE L'APPAREIL
Priorité à l'ouverture

### RÉGLAGE DU ZOOM
Grand-angulaire

### SENSIBILITÉ ISO
Faible ou moyenne

### FLASH
Désactivé

## 4 SUGGÉREZ L'ESPACE

La vue se caractérise par de nombreuses textures à diverses échelles, des tonalités variées et de l'espace. Le noir et blanc met tous ces éléments en valeur.

# La lumière filtrant à travers les arbres

Saisir dans toute leur subtilité les faisceaux de lumière qui filtrent à travers la végétation n'est pas une tâche facile. Il faut en effet conserver les fins détails des frondaisons tout en équilibrant la lumière entre les zones éclairées et celles qui sont à l'ombre. Enfin, il convient de restituer les délicates variations de verts des arbres. Il vous faudra beaucoup de pratique pour doser judicieusement tous ces éléments.

## POUR CETTE PHOTO

Une première photo avait révélé une sous-exposition causée par l'automatisme de l'appareil qui avait compensé les hautes lumières en réduisant la pose. Un grand-angulaire moyen a été utilisé avec une sensibilité faible afin d'obtenir une image de qualité.

### MODE DE L'APPAREIL

 Tout mode automatique

### RÉGLAGE DU ZOOM

Grand-angulaire

### SENSIBILITÉ ISO

Faible

### FLASH

Désactivé

## 1 ÉTUDIEZ LA LUMIÈRE

Voyez la scène comme l'appareil la perçoit et non pas par vos yeux. Un seul réglage devra convenir à toute l'image : vous devrez trouver un compromis entre le réglage des parties très éclairées et celui des zones à l'ombre.

## 2 TRAVAILLEZ AVEC LA LUMIÈRE

Ici, les feuilles les plus remarquables sont celles qui, illuminées par la lumière du soleil, se détachent sur un fond très sombre. Essayez de composer la photo pour exploiter au mieux ce très bel effet.

## 3 VARIEZ LES RÉGLAGES

La vue étant relativement statique, prenez le temps de visionner les photos et de les refaire éventuellement en corrigeant l'exposition.

## 4 CHOISISSEZ L'EFFET

Il n'existe pas d'exposition type. Vous la choisirez selon que vous désirez obtenir un effet dramatique ou suggérer une idyllique journée d'été. La vaste plage dynamique entre les hautes lumières et les ombres complique le compromis.

## 5 ZOOMEZ DANS LES FEUILLES

Un cadrage serré dans le feuillage permet de trouver un équilibre entre les parties très éclairées et les zones sombres. Cette composition de feuilles éclairées à contre-jour ne parvient à montrer ni le lieu, ni le contexte.

# Les forêts embrumées

Bien qu'une journée brumeuse n'incite guère à sortir son appareil photo, vous serez cependant récompensé de vos efforts par de belles et étranges atmosphères. La brume et le brouillard accentuent la perspective aérienne ainsi que la profondeur entre les différents plans d'une image. Les photos prises dans ces conditions sont toujours exceptionnelles. Tout l'art consiste à trouver le sujet et la composition qui exploitent au mieux ces magnifiques effets naturels.

## 1 PARCOUREZ LES LIEUX
Ce chemin sinueux près d'un terrain de golf est un élément crucial de la composition. Il conduit le regard dans l'image tout en dégageant un peu de mystère avant de disparaître assez rapidement parmi les arbres.

## 2 ESSAYEZ DIVERS EFFETS
La brume a aussi la caractéristique intéressante d'atténuer la couleur, offrant ainsi une palette de pastel. L'absence de couleurs vives est compensée par de merveilleuses subtilités de tons et de contraste.

## 3 UTILISEZ LE BRACKETING
Une exposition correcte est cruciale car la plage des luminosités est étroite. La moindre erreur peut compromettre la photo. Le bracketing – une série de photos avec de légères variations de l'exposition – vous permettra de choisir dans le lot celle qui est la plus réussie.

## 4 AJOUTEZ UN ÉLÉMENT HUMAIN
Évoquer subtilement une présence renforce le mystère de la scène. En plus d'offrir une échelle, ce chariot de golf, avec ses contours estompés, donne une bonne idée de la densité du brouillard.

# Saisons et intempéries

La légèreté et la compacité des appareils photo récents permettent de les emporter partout en toute saison et de ne manquer aucune occasion de montrer les effets du climat sur votre environnement. Votre appareil vous suivra par tous les temps. Prenez cependant bien soin de lui : évitez de le mouiller quand il pleut, et par grand froid, gardez-le au chaud dans une poche jusqu'au moment où vous l'utiliserez.

## NEIGE ET GLACE

Le manteau de neige habille le paysage de blanc, tandis que la magie de l'hiver transfigure les objets les plus banals.

**1** La neige par temps couvert et ensoleillé : tous deux vous offrent une bonne lumière.

**2** Surexposez légèrement afin que la neige reste blanche.

**3** Choisissez la qualité d'image maximale pour conserver tous les fins détails.

## L'ARC-EN-CIEL

Un arc-en-ciel doit ses effets enchanteurs à la décomposition de la lumière par des myriades de gouttelettes agissant comme des prismes. Le photographier est délicat en raison de son intensité qui change vite.

**1** Après une averse, l'arc-en-ciel apparaît devant vous lorsque vous avez le soleil dans le dos.

**2** Pour changer, n'en photographiez qu'une partie au fort téléobjectif, plutôt qu'en entier.

**3** Les couleurs se détachent sur un ciel sombre. Mais même peu intense, un arc-en-ciel est magique.

## PHOTO DE PLUIE

Par temps de pluie, les couleurs sont toujours plus vives pour votre appareil qu'elles le sont à vos yeux. Essayez de prendre des photos et vous serez sans aucun doute agréablement surpris.

**1** Photographiez à travers une vitre mouillée pour montrer les gouttes.

**2** Augmentez la sensibilité ainsi que la saturation et le contraste.

**3** Utilisez le zoom au grand-angulaire pour bénéficier d'une ouverture maximale.

## AU FIL DES SAISONS

Des photos montrant les changements au fil des saisons sont toujours fascinantes. Vous pouvez les cadrer toutes de la même façon ou varier la composition.

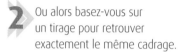
**1** Si possible, marquez l'emplacement du trépied afin de le placer chaque fois au même endroit.

**2** Ou alors basez-vous sur un tirage pour retrouver exactement le même cadrage.

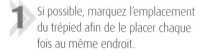
**3** Faites plusieurs vues avec diverses expositions pour être certain d'avoir la bonne image.

## PHOTOGRAPHIER LA FOUDRE

Consultez les prévisions météorologiques, puis installez-vous sur un site adapté. Certains sont plus propices à l'observation des orages que d'autres. Comme il faut une pose longue pour saisir un éclair, vous devrez travailler de nuit.

**1** Photographiez depuis un emplacement sûr, comme l'intérieur d'un immeuble.

**2** Utilisez un trépied et réglez u pose longue (plusieurs secon Déclenchez avant l'éclair.

**3** Poursuivez la pose après un éclair. Vous en enregistrerez ainsi plusieurs sur la même v

## LES COULEURS D'AUTOMNE

Les chaudes couleurs mordorées de l'automne, sous les climats tempérés, sont un enchantement pour le photographe.

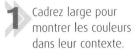 Cadrez large pour montrer les couleurs dans leur contexte.

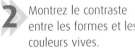 Montrez le contraste entre les formes et les couleurs vives.

 Visez bien à la verticale d'un tapis de feuilles mortes.

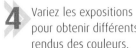 Variez les expositions pour obtenir différents rendus des couleurs.

## CIELS D'ORAGE

La lumière qui précède un orage ou qui lui succède est souvent magnifique et particulièrement photogénique.

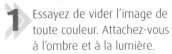 Essayez de vider l'image de toute couleur. Attachez-vous à l'ombre et à la lumière.

Prenez plusieurs photos car le ciel et la lumière changent très vite.

## OMBRES ET LUMIÈRES

Le déploiement des branches de ce conifère exige le grand-angulaire. Si votre appareil ne permet pas de le prendre en entier, essayez de faire deux ou trois photos que vous monterez par la suite dans l'ordinateur, en recourant à la technique du panorama.

**1** Si possible, utilisez un grand-angulaire très large pour suggérer la grande envergure de l'arbre.

**2** Utilisez la qualité d'image maximale afin d'obtenir une photo très fouillée.

**3** Optez pour le mode Paysage et une ouverture minimale afin d'obtenir une grande profondeur de champ.

**4** Placez un personnage à l'arrière-plan, si vous désirez donner une échelle.

# Réalité et réflexions

Phénomènes optiques entretenant de mystérieuses affinités avec la photographie, les reflets offrent d'innombrables opportunités. La manière si particulière par laquelle l'objectif photographique voit le monde – limité dans un cadre et assujetti à la profondeur de champ – s'accorde bien avec la nature d'une réflexion, à savoir une image inversée et intériorisée du monde qu'expriment avec force les absolues symétries qui frangent un miroir d'eau.

**1 ÉTUDIEZ LES REFLETS**

Observez le changement des reflets selon que vous vous décalez de côté, ou vers le haut ou le bas.

**2 RÉGLEZ L'APPAREIL**

Choisissez l'angle le plus large possible, avec éventuellement un réducteur de focale. Le flash sera peut-être nécessaire pour éclaircir les ombres.

**3 RAPPROCHEZ-VOUS**

C'est souvent au ras de l'eau que vous trouverez les plus belles réflexions et les symétries les plus rigoureuses. Essayez de vous rapprocher au maximum de l'eau en veillant à ne pas mouiller accidentellement l'appareil. Traitez le sujet comme un paysage, en ménageant une profondeur de champ maximale.

# Les couleurs du rivage

Inutile d'être en vacances sur une île paradisiaque pour réussir de belles photos de mer. Plaisante mais sans plus, cette plage de galets ne suscita pas immédiatement l'inspiration, mais avec un peu de patience et le sens du cadrage, elle révéla d'intéressantes opportunités. La règle est d'observer la lumière et l'eau. La parfaite harmonie de la lumière, des vagues et du ciel, ne dure que quelques minutes, voire quelques secondes.

**ÉLÉMENTS GÊNANTS**

Par beau temps, un navire ou des baigneurs peuvent gêner une composition par ailleurs dépouillée et rigoureuse. N'en tenez pas compte et prenez néanmoins la photo. Vous utiliserez le tampon de duplication de votre logiciel de retouche pour supprimer ces éléments disgracieux.

## 1 VARIEZ LES CADRAGES

Multipliez les manières de voir la plage. Les vues au ras du sol mettent le sable ou les galets en valeur, tandis qu'un point de vue plus élevé permet de privilégier le premier plan ou l'arrière-plan. Observez les vagues et voyez comment elles jouent avec la lumière.

## 2 METTEZ EN SCÈNE

Faites le ménage pour que la photo soit irréprochable. Ôtez les vieilles bouteilles, sandales et autres déchets. Ou alors faites-en le sujet principal de votre photo. Il peut être intéressant de prendre les deux photos, avant et après.

## 3 DONNEZ UNE ÉCHELLE

Toute vue ne comprenant qu'un seul élément à l'exclusion de tout autre manque singulièrement de force. Mais si un élément est présent, il doit pouvoir suggérer l'échelle et le contexte. Ici, c'est la présence d'un peu d'écume blanche qui donne cette indispensable échelle.

**POUR CETTE PHOTO**
J'ai attendu la rencontre d'une bonne lumière et de belles vagues. Le chalutier pourchassé par les mouettes donne une idée de la distance sans compromettre la sobre harmonie des couleurs.

**MODE DE L'APPAREIL**

 Programme

**RÉGLAGE DU ZOOM**

 Téléobjectif

**SENSIBILITÉ ISO**

 Faible

**FLASH**

 Désactivé

**4 VÉRIFIEZ LES IMAGES**
En pleine lumière, l'écran de contrôle est difficilement lisible. Faites de l'ombre pour mieux visionner les images.

# Houle et déferlantes

Rien n'est plus spectaculaire que la mer houleuse qui se brise contre les rochers. Mais le temps de sortir l'appareil et le calme est revenu. Ce phénomène est heureusement cyclique et il suffit de patienter jusqu'à la prochaine manifestation, ce qui laisse le temps de se positionner, régler l'appareil et se préparer pour le bon moment. Il faudra plusieurs tentatives avant de prendre la vague à l'instant le plus fort.

**1 REPÉREZ LES LIEUX**
La plupart des sites offrent des points de vue privilégiés. Le meilleur n'est pourtant pas celui où la vague se contente d'éclater en éventail, mais l'endroit où elle éclabousse et s'étale sur des rochers aux formes intéressantes.

**2 RÉGLEZ L'APPAREIL**
Si possible, mettez l'appareil en mode Manuel. La durée d'exposition devant être brève, sélectionnez le mode Sport ou Priorité à la vitesse, avec une sensibilité élevée. Le flash peut aider à figer le mouvement de l'écume.

**3 LA SÉCURITÉ D'ABORD**
Ne vous exposez pas au danger. À certains endroits, une vague exceptionnellement forte peut emporter un homme. Utilisez un téléobjectif pour travailler à bonne et sûre distance.

**4 CALEZ L'APPAREIL**
Utilisez un trépied pour attendre confortablement le retour de la vague, l'appareil pointé vers le lieu où elle déferlera. Un déclencheur souple améliorera encore plus la stabilité.

**5 DÉCLENCHEZ EN RAFALE**
Prenez un maximum de photos avec un cadrage, une orientation et un zoom légèrement différents. L'une de ces photos sera assurément la bonne.

## POUR CETTE PHOTO

Le grand-angulaire a permis de prendre toute la gerbe d'écume figée grâce à une vitesse d'obturation élevée. Les moindres gouttelettes sont nettes.

### MODE DE L'APPAREIL
Sport

### RÉGLAGE DU ZOOM
Moyen ou grand-angulaire

### SENSIBILITÉ ISO
Élevée

### FLASH
Désactivé

## 6 AU BON MOMENT
Déclenchez juste avant le pic de l'action afin de ne rien manquer de l'éclaboussure.

# Le calme de la campagne

Le premier souci d'un photographe, face à un idyllique paysage de campagne comme ce bord de rivière tranquille, est d'en restituer l'atmosphère. L'image peut traduire en tons et en couleurs l'essentiel de ce qui est perçu et ressenti sur place. Exploitez les dégradés de tons pour conduire le regard ; ils stimuleront l'impression d'espace. Recourez à la couleur pour suggérer le mouvement et à des indices visuels pour évoquer les bruits.

**1 CHOISISSEZ UN LIEU**
La route menant au site n'est pas forcément la plus photogénique. Partez en exploration pour découvrir le meilleur emplacement.

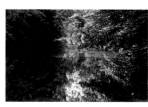

**2 CHOISISSEZ LE FORMAT**
Le cadrage horizontal semble être le choix qui s'impose, mais ce n'est pas toujours le meilleur. Un cadrage en hauteur révèle beaucoup mieux la nature verticale du lieu.

**3 PENSEZ AUX REFLETS**
Quand l'air est calme et l'eau tranquille, la rivière ou l'étang deviennent un miroir où se reflète le paysage.

**4 INCLUEZ UN PREMIER PLAN**
Un élément au premier plan est une technique classique pour suggérer l'espace et la profondeur. Il doit cependant être discret car il n'est pas le sujet principal de la photo. Faites des essais pour équilibrer la photo.

## POUR CETTE PHOTO

Le zoom réglé en grand-angulaire moyen, j'ai opté pour le mode Paysage afin d'obtenir une profondeur de champ étendue. La bonne qualité est produite par une taille d'image élevée et une sensibilité moyenne.

### MODE DE L'APPAREIL

Paysage

### RÉGLAGE DU ZOOM

Grand-angulaire

### SENSIBILITÉ ISO

Faible

### FLASH

Désactivé

## 5 DONNEZ DU MOUVEMENT

Pour dynamiser quelque peu la scène, un caillou a été jeté dans l'eau. Les ronds dans l'eau donnent du mouvement et suggèrent le bruit.

**LE CALME DE LA CAMPAGNE ≫** PAYSAGES ET NATURE

Le ciel lourd et déchiqueté de cette photographie évoque le vent violent qui soufflait au moment de la prise de vue. Ne vous laissez jamais rebuter par les éléments naturels, sauf s'ils présentent un danger. Trouvez un abri puis occupez-vous de l'image.

**1** Faites confiance à votre appareil photo. En lumière faible, il voit plus de couleurs que vous.

**2** Augmentez la sensibilité ISO en lumière faible, sachant que la qualité de l'image peut en souffrir.

**3** Au besoin, vous aviverez les couleurs et leur contraste ultérieurement, avec un logiciel de retouche.

# Un paysage d'eau urbain

L'avantage de la photographie, c'est d'arriver quelque part pour prendre une photo bien précise et d'en repartir avec une tout autre. L'intention était ici de photographier le port de plaisance. Mais il n'y avait personne, la lumière de midi était terriblement dure et les poteaux d'amarrage, fort laids. Il y avait toutefois comme une similitude, un rappel, entre eux et les gratte-ciel au loin. Ce qui prouve qu'une photo vaut toujours la peine d'être prise.

## POUR CETTE PHOTO

Un petit téléobjectif a été utilisé et je me suis placé près des poteaux, avec le paysage au fond. Une sensibilité ISO moyenne a permis de fermer le diaphragme au maximum afin d'obtenir une profondeur de champ aussi étendue que possible.

**MODE DE L'APPAREIL**

📷 Paysage

**RÉGLAGE DU ZOOM**

🔄 Téléobjectif moyen

**SENSIBILITÉ ISO**

📊 Moyenne

**FLASH**

⚡ Désactivé

### 1 REGARDEZ AUTOUR DE VOUS

Étudiez attentivement les lieux à la recherche de points de vue. Soyez ouvert à toutes les opportunités, notamment les éléments géométriques ou d'intéressants rapprochements.

### 2 ESSAYEZ TOUS LES CADRAGES

Variez les focales du zoom et multipliez les points de vue. Visionnez les photos pour tenter d'y déceler des lignes ou des motifs géométriques intéressants.

### 3 ATTENTION AUX REFLETS

La lentille frontale de beaucoup d'appareils compacts est mal protégée du soleil direct. Le problème est pire quand la lumière est réfléchie par l'eau. Utilisez la main pour faire pare-soleil et mettre ainsi l'objectif à l'ombre.

### 4 VARIEZ LES COMPOSITIONS

Certains sujets incitent à revenir comme si vous aviez du mal à vous en détacher. C'était le cas de ces poteaux. Exploitez le sujet, tirez-en le maximum jusqu'à ce que vous obteniez la photo qui surclasse toutes les autres.

# Les couleurs du crépuscule

Tout le monde est sensible à la splendeur d'un coucher de soleil, mais les photos qui en sont faites sont souvent décevantes. C'est techniquement un sujet ardu car la vaste plage des luminosités, des plus claires aux plus sombres, fait que le premier plan est souvent peu détaillé. Quelques astuces permettent néanmoins d'obtenir de magnifiques photos de ces moments rares. Commencez par cadrer le ciel et le sol, puis équilibrez l'exposition pour les deux.

 **ARRIVEZ TÔT**
L'équilibre de la lumière entre le ciel et le sol change subtilement mais rapidement. Le moment idéal où les deux éclairements sont équivalents est bref. C'est pourquoi il est recommandé d'arriver en avance pour ne pas le manquer.

 **PROCÉDEZ AUX RÉGLAGES**
Optez pour la qualité maximale et sélectionnez une sensibilité faible afin de préserver toutes les subtilités du ciel.

 **PROTÉGEZ VOTRE VUE**
Ne regardez pas directement le soleil et ne laissez pas l'objectif pointé vers lui sans capuchon, car les rayons focalisés pourraient griller le capteur ou l'obturateur. Faites pare-soleil avec la main.

 **REGARDEZ AUTOUR DE VOUS**
Retournez-vous : le ciel à l'opposé du coucher de soleil baigne souvent dans une belle lumière, plus facile à maîtriser car moins contrastée.

 **CHOISISSEZ DE ZOOMER OU NON**
Les couleurs du crépuscule s'étendent du jaune chaud au bleu nuit. Un grand-angulaire les montre toutes, mais zoomer dramatise la vue en la limitant aux couleurs proches du soleil.

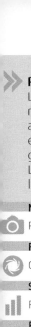

## POUR CETTE PHOTO

Le soleil était très bas, mais quelques rayons illuminaient encore la vigne au premier plan. Le grand-angulaire et le mode Paysage procurent une généreuse profondeur de champ. Le cadrage vertical accorde une très large place au ciel.

### MODE DE L'APPAREIL

Paysage

### RÉGLAGE DU ZOOM

Grand-angulaire

### SENSIBILITÉ ISO

Faible

### FLASH

Désactivé

## ATTENDEZ LA BONNE LUMIÈRE

Quand le ciel est très bas sur l'horizon, la lumière du ciel peut être équilibrée avec celle du premier plan. Beaucoup de gens photographient les couchers de soleil à l'horizontale, mais rien ne vous oblige à en faire autant.

# Un clair de lune enjôleur

La lune a toujours fasciné les photographes, mais elle ne se laisse pas facilement prendre. Lorsqu'elle est proche de l'horizon, elle paraît plus grande qu'elle le sera sur la photo, et il en va de même quand elle est haute dans le ciel, à cause de sa forte brillance. Sa mystérieuse présence peut s'imposer même dans un paysage par ailleurs très sombre. Une solution consiste à la photographier par une nuit nuageuse, lorsqu'une partie de sa lumière est diffusée.

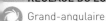
## ZOOMEZ SUR LA LUNE

Même en zoomant au maximum, la lune paraît bien petite dans l'image. Centrez-la puis grossissez-la ultérieurement dans l'ordinateur, avec un logiciel d'imagerie. Le même effet sera obtenu par le zoom numérique, si votre appareil est équipé de cette fonction.

## 1 UTILISEZ UN TRÉPIED

La netteté des photos sera ainsi irréprochable, même avec une pose longue. Le trépied permet aussi de laisser l'appareil en position en attendant que de beaux nuages passent devant la lune.

## 2 VÉRIFIEZ LA SENSIBILITÉ

Ne la choisissez pas plus élevée que nécessaire car plus elle l'est, plus l'image risque d'être affectée par un phénomène appelé « bruit » qui lui donne un aspect granuleux (comme ici) ou qui fausse les couleurs. Le trépied permet réduire un peu la sensibilité.

## 3 VÉRIFIEZ VOS PHOTOS

Visionnez-les toutes. L'appareil aura sans doute tendance à surexposer, éclaircissant des parties de l'image (photo de droite) au détriment de l'effet de clair de lune. Réduisez l'exposition pour compenser, comme ce fut fait pour la photo de gauche. Remarquez le petit diamètre de la lune dans ces images prises au grand-angulaire.

## 4 CADREZ LA PHOTO

Placez un élément au premier plan afin de relever l'intérêt de la photo. Si la lune paraît petite, attendez qu'un nuage la voile légèrement, ce qui éclairera le ciel aux alentours et la fera paraître plus grande.

# Les formations nuageuses

L'un des sujets les plus gratifiants s'offre à quiconque prend la peine de contempler le ciel. Les grandes formations nuageuses se prêtent excellemment à la photographie. Les nébulosités changent constamment de formes et de textures, prenant parfois de fantastiques couleurs qui composent avec celles du paysage. Vous pouvez réussir de fabuleuses photos de nuages, même dans un environnement aussi pauvre qu'un parking de centre-ville.

COLLECTION DE NUAGES

Qu'ils soient dramatiques, uniformes, colorés, neutres, lourds ou légers, les ciels et les nuages peuvent avoir une foule d'usages, notamment comme arrière-plan pour un texte imprimé ou encore comme fond de page Web. Enrichissez votre collection de nuages pour de futures utilisations.

## 1 OBSERVEZ LE CIEL

Les nuages changent rapidement de forme et vont vite. Vous n'aurez que quelques instants pour immortaliser ceux qui vous plaisent. Surveillez aussi les changements de lumière au sol, qui révèlent un changement dans le ciel.

## 2 PLACEZ-VOUS

Déplacez-vous et, si possible, intégrez un élément secondaire dans l'image. S'il n'est guère attrayant, minimisez-le dans la composition.

## 3 UTILISEZ UN GRAND-ANGULAIRE

Le grand-angulaire s'impose pour la plupart des ciels nuageux. Si possible, utilisez un réducteur de focale pour obtenir un ultra-grand-angulaire (équivalent 28 ou 24 mm).

## POUR CETTE PHOTO

J'ai utilisé le zoom réglé au minimum avec un réducteur de focale ultra-grand-angulaire, et attendu une belle formation nuageuse. La qualité d'image maximale permet de saisir les moindres détails.

**MODE DE L'APPAREIL**

Paysage

**RÉGLAGE DU ZOOM**

Grand-angulaire

**SENSIBILITÉ ISO**

Faible

**FLASH**

Désactivé

## LE BON MOMENT

Attention aux reflets parasites, et surtout, ne dirigez pas l'appareil vers le soleil. Attendez que le soleil soit caché par un nuage ou, mieux, juste au bord.

## NUAGES BAS

Cette photo a été prise au petit matin. La composition bénéficie de la belle lumière de l'aube dans laquelle baignent ces lourds nuages bas qui s'élèvent peu à peu des collines.

**1** Choisissez le point de vue la veille, en déterminant où le soleil se lèvera.

**2** Veillez à trouver le bon équilibre entre la lumière et les formations de brume.

**3** Sélectionnez la qualité d'image maximale afin de ne perdre aucune des subtiles tonalités.

# Paysages et nature

Toute tentative de « mettre en boîte » un paysage impressionnant ou une vue spectaculaire est vouée à l'échec, car la magnificence de la nature ne saurait être confinée dans un cadre. En revanche, vous pouvez composer la photo de manière à donner à celui qui la regarde un aperçu de votre vécu visuel. La photo réduit la scène à quelques éléments graphiques concis.

**LIGNES PARALLÈLES**
Exploitez ces ombres parallèles dans le sable pour mener le regard vers l'horizon distant, où l'attendent d'autres belles textures.

**CONDUIRE LE REGARD**
Une route qui serpente dans le paysage est un moyen naturel et efficace de conduire le regard à travers l'image, jusqu'aux montagnes au loin.

**PERSPECTIVE AÉRIENNE**
Remarquez l'atténuation des couleurs au fur et à mesure que la distance s'accroît, accentuant l'impression de profondeur.

## COMPOSITION POLYCHROME
Dynamisez l'espace, dans une composition, en jouant avec l'impression de distance, comme ici avec les bandes de couleur nettement marquées.

## SCÈNE EN BICHROMIE
Vous pouvez différencier les plans d'une image à l'aide des valeurs tonales. Assombrissez le premier plan pour susciter une impression de proximité.

## COMPRESSION ABSTRAITE
Le grand-angulaire n'est pas indispensable pour un paysage. Le téléobjectif compresse ces formations rocheuses en motifs presque abstraits.

### SAISIR UNE LUMIÈRE EXCEPTIONNELLE

Pour immortaliser un moment aussi rare que celui-ci, vous devez compter sur la chance ou revenir très souvent sur les lieux en espérant qu'il se répète un jour. Le filet d'argent de la rivière conduit le regard jusqu'au lac qu'éclaire un poétique rayon de lumière, apportant un peu de clarté dans cette sombre et dramatique composition..

## CIEL DÉGRADÉ
Le filtre dégradé coloré, plus dense d'un côté que de l'autre, placé sur l'objectif, est une technique classique pour meubler un ciel vide.

## PREMIER PLAN CAILLOUTEUX
Placez un élément au premier plan pour donner une impression d'espace. Ces gros galets suscitent une vertigineuse sensation de distance.

## CADRE NATUREL
Cette arche rocheuse est un cadre naturel dans tous les sens du terme. Elle invite le regard à s'attarder sur la scène qu'elle délimite.

Les animaux

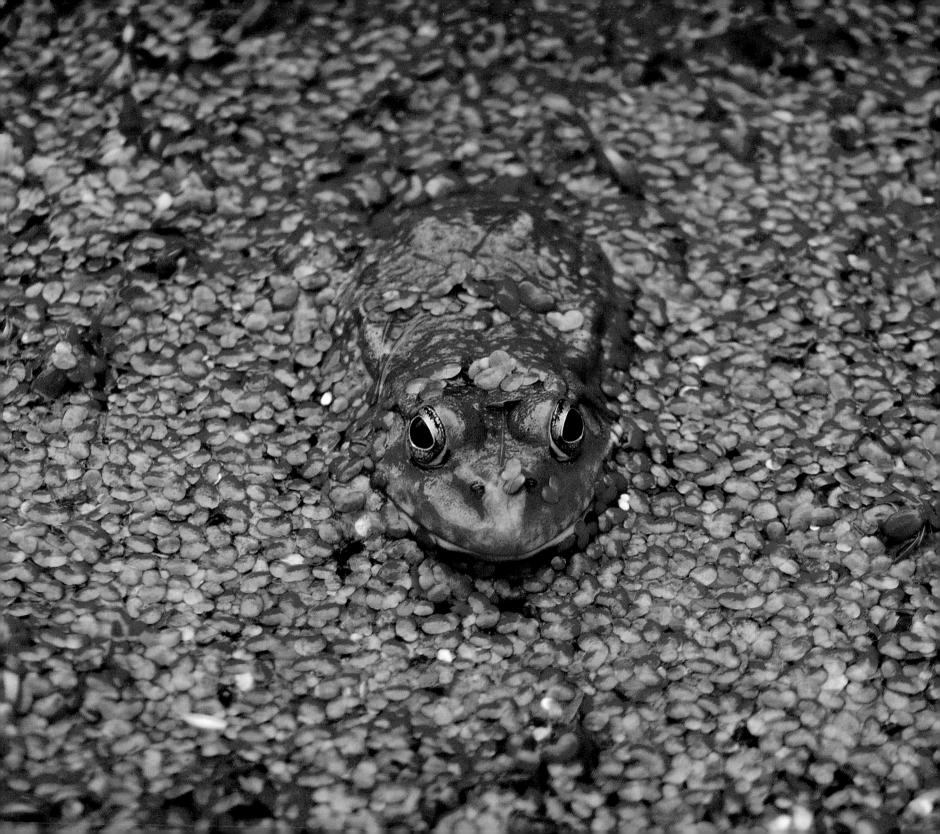

Sauvages ou domestiques, **les animaux** constituent un sujet des plus excitants pour le photographe, notamment grâce aux récents progrès spectaculaires de la photo numérique et des objectifs. Beaucoup d'appareils sont équipés de téléobjectifs capables de photographier les animaux les plus farouches. Ce matériel autrefois très onéreux était réservé aux photographes professionnels. De plus, les zoos, parcs animaliers et aquariums s'efforcent de recréer un environnement authentique, aussi proche que possible de l'habitat naturel de leurs pensionnaires. Il ne vous reste plus qu'à vous informer des habitudes des animaux et savoir faire preuve de patience.

# Portraits d'animaux de compagnie

Photographier leurs petits compagnons pleins de poils est sans doute l'un des sujets favoris de nombreux photographes amateurs. La manière de les approcher dépend de leur caractère et de la photo que vous comptez réaliser. Une photo d'action montrant le chien qui se jette à l'eau ou qui court en rapportant une balle est assurément excitante et pleine de vie, mais un portrait posé lui donnera quelque chose de presque humain.

**LE PORTRAIT COMME EN STUDIO**

Pour ce genre de photo posée, couvrez un mur et le sol d'un papier blanc d'un seul tenant, largement incurvé à la plinthe. Utilisez le téléobjectif afin de réduire l'arrière-plan au strict minimum et servez-vous de la lumière provenant d'une fenêtre ou d'un flash. Ce dernier permettra d'enregistrer les détails les plus fins – au poil près – de votre compagnon.

### RÉGLEZ L'EXPOSITION
Si l'animal est très sombre ou presque blanc, vous devrez corriger l'exposition. Faites des essais et vérifiez en zoomant sur l'image affichée sur l'écran de contrôle.

### AMUSEZ LE CHIEN
Une pose statique ne signifie pas une pose triste. Offrez une gâterie au chien ou, mieux, faites-le courir, sauter et s'amuser pour faire des photos pleines de vie. Un chien heureux a le regard qui pétille.

La photo étant prise au téléobjectif, il est impossible qu'elle soit nette des oreilles à la truffe. J'ai donc fait le point sur les yeux. Augmenter la sensibilité et ouvrir le diaphragme a permis de travailler à vitesse élevée.

### MODE DE L'APPAREIL

 Sport

### RÉGLAGE DU ZOOM

Téléobjectif maximal

### SENSIBILITÉ ISO

Élevée

### FLASH

Désactivé

## 3 PROFITEZ D'UN RÉPIT

Photographiez le chien pendant un moment de calme. Vous aurez plus de chances qu'il soit entièrement net en le photographiant en pied (en patte).

# Portraits insolites

L'une des difficultés de la photo d'animaux de compagnie réside dans la restitution de leur caractère. Ce shar-pei tout fripé a été photographié au ras du sol pour montrer sa frimousse, ses grosses pattes et sa pose alanguie.

Il suffit de photographier de près au grand-angulaire, en veillant cependant à faire le point au bon endroit. Un écran de contrôle basculant et pivotant est très commode car il évite d'avoir à se vautrer au sol pour cadrer.

## POUR CETTE PHOTO

L'appareil posé au sol, le grand-angulaire et la proximité avec la bête ont contribué à donner cette tendre et amusante photo. L'animal étant immobile et l'appareil bien calé, j'ai opté pour une profondeur de champ maximale.

### MODE DE L'APPAREIL

Ouverture minimale

### RÉGLAGE DU ZOOM

Grand-angulaire Macro

### SENSIBILITÉ ISO

Faible ou moyenne

### FLASH

Désactivé

## REMPLIR LE CADRE

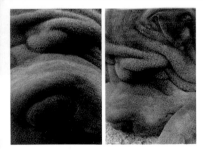

La fourrure d'un animal et un détail anatomique, comme la truffe ou une partie de la face, méritent un gros plan. Veillez toutefois à ce qu'un cadrage trop serré ne rende pas l'animal complètement méconnaissable.

## 1 LAISSEZ-LE DORMIR

La sécurité d'abord : si vous ne connaissez pas l'animal, demandez à son maître s'il est amical ou plutôt hargneux. Certains chiens n'aiment pas être réveillés.

## 2 RÉGLEZ L'APPAREIL

Choisissez le mode Macro ou Photo rapprochée et le grand-angulaire. Désactivez le flash. Si l'écran est orientable, il sera utile pour cadrer depuis le sol.

## 3 CHOISISSEZ L'ÉCLAIRAGE APPROPRIÉ

Pour bien rendre la fourrure, vous devez travailler en lumière tamisée. L'ombre claire sous un buisson est idéale. Bougez lentement et en douceur pour ne pas inciter l'animal à partir.

## 4 VERROUILLEZ LE POINT

Ne faites pas la mise au point sur la partie la plus proche de l'animal : c'est la tête qui est intéressante, pas la patte. Peu importe que la totalité de l'animal ne soit pas nette (c'est même préférable). Pointez l'appareil vers la zone qui doit l'être, enfoncez le déclencheur à mi-course pour verrouiller le point, cadrez puis déclenchez.

# Élégance équine

La beauté de ses formes, la grâce de ses mouvements et son humeur changeante font du cheval un sujet de choix, quels que soient le temps qu'il fait ou les conditions lumineuses. À l'instar de toute photo animalière, mieux vous connaissez l'animal, mieux vous le photographierez. Un cheval a sa propre personnalité. Il peut tour à tour être timide, nerveux, amical ou distant. Veillez à ce que son caractère transparaisse dans la photo.

## 1 ESSAYEZ DIFFÉRENTES COMPOSITIONS

Faites des essais avec divers cadrages. Il ne se passe pas grand-chose dans cette photo, et elle manque d'atmosphère et de mystère. Un portrait d'un seul cheval serait plus judicieux que cette photo du groupe.

## 2 ÉVITEZ LA DÉFORMATION

Attirez le cheval en lui offrant une friandise. N'utilisez pas le grand-angulaire pour le photographier de près car, en raison de la forte perspective de cet objectif, sa tête serait exagérément grossie et déformée (photo à gauche).

## 3 ACTIVEZ LE MODE SPORT

Avant de commencer les prises de vue, sélectionnez le mode approprié, comme Sport si le cheval bouge beaucoup. Vérifiez l'exposition sur différentes parties de l'animal.

## 4 VARIEZ LES POINTS DE VUE

La tête d'un cheval étant tout en longueur, l'avoir entièrement nette en la photographiant de face est presque impossible. Il est généralement plus facile, et plus photogénique, de photographier le cheval de profil.

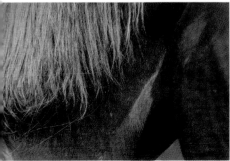

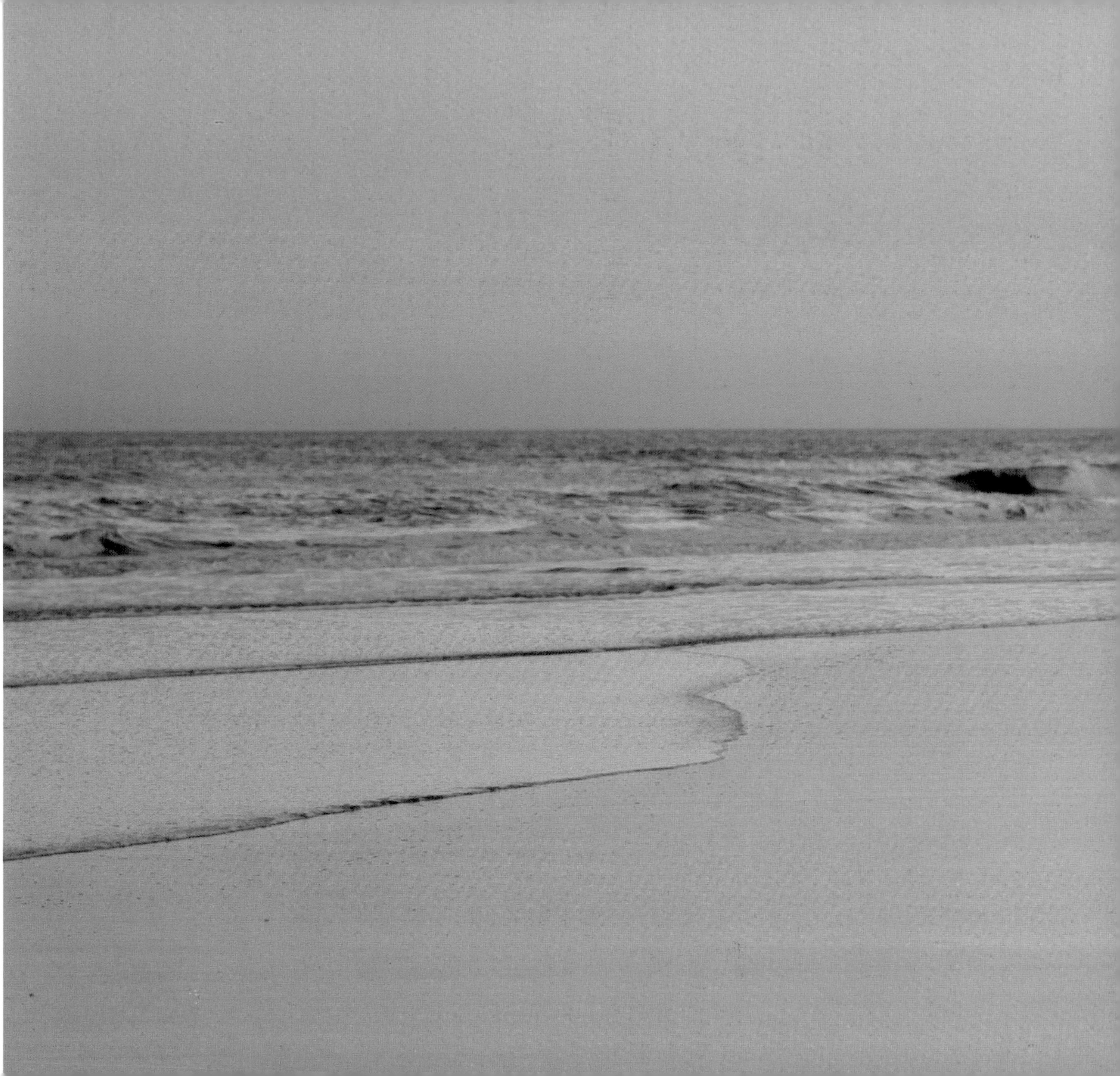

## CHEVAUCHÉE AU CRÉPUSCULE

Cette photographie d'une cavalière symbolise puissamment le contact avec la nature et la destinée individuelle. Ce type d'image évocatrice est très facile à réaliser, car il suffit de disposer d'un vaste espace pour composer la scène.

**1** Ménagez un grand espace en avant du personnage pour donner une impression de liberté.

**2** Composez l'image de manière que le personnage se dirige vers l'espace libre.

**3** Pour restituer fidèlement les délicates tonalités, choisissez la qualité d'image maximale.

# Les oiseaux en vol

Le gracieux vol plané des oiseaux est un plaisir des yeux et un sujet de choix pour le photographe. Mais c'est aussi un sujet particulièrement difficile, car les oiseaux volent généralement à distance et se déplacent rapidement. Parfois même, la lumière joue contre vous. Mais tout sera plus facile si vous parvenez à trouver un point de vue en hauteur. Utilisez le téléobjectif en mode Sport, puis photographiez autant que vous pouvez.

**ZOOM NUMÉRIQUE**

Utilisez le téléobjectif maximal si l'oiseau est à peine visible dans le viseur. Il est possible que ce réglage ne soit qu'un zoom numérique qui agrandit la partie centrale de l'image, hélas au détriment de la qualité.

## 1 LA SÉCURITÉ D'ABORD

Trouvez un point de vue dominant qui vous rapproche des mouettes volant près de la falaise, mais veillez à votre sécurité et ne vous penchez pas trop. Utilisez la mise au point automatique continue.

## 2 LA MISE AU POINT

La mise au point doit rester calée sur l'oiseau en vol. Sinon, faites le point sur un endroit fréquenté par les oiseaux et déclenchez dès qu'ils y passent.

## 3 OBSERVEZ LEUR COMPORTEMENT

Découvrez les endroits qu'ils préfèrent pour décoller et se poser. C'est souvent un lieu peu exposé au vent. Connaître les habitudes et le comportement des oiseaux augmente les chances de prendre de belles photos.

## POUR CETTE PHOTO

J'ai déclenché tout en suivant cette mouette dans le viseur, ce qui a contribué à donner une image bien nette. La sensibilité ISO et la vitesse d'obturation étaient élevées, et le téléobjectif réglé au maximum. Beaucoup de photos furent prises.

**MODE DE L'APPAREIL**

Sport

**RÉGLAGE DU ZOOM**

Téléobjectif maximal

**SENSIBILITÉ ISO**

Élevée

**FLASH**

Désactivé

## PENSEZ AU FOND

**4** Autant que possible, photographiez l'oiseau sur un arrière-plan neutre afin de mettre ses formes en évidence. L'océan est à cet égard idéal. Il peut même être très sombre, mesurant l'exposition sur la mouette.

# Gros plans d'oiseaux exotiques

De tous les représentants du règne animal, les oiseaux sont les plus riches en couleurs. Un parc zoologique est le lieu idéal pour tous ceux qui ne peuvent pas s'offrir un safari dans les pays lointains. Comme pour beaucoup de sujets, une bonne préparation est indispensable. Que l'animal sauvage soit captif ou en liberté, réaliser son portrait commence par l'observation de son comportement et de ses habitudes.

**1 ATTIREZ LE SUJET**
Si c'est autorisé, nourrissez les oiseaux pour les habituer à votre présence. Prendre des photos en même temps les familiarisera avec le bruit de l'appareil. Souvent, l'un des oiseaux est moins farouche que les autres. C'est à lui que vous vous intéresserez.

**2 PHOTOGRAPHIEZ À TRAVERS LE GRILLAGE**
Ne le faites toutefois que si votre matériel est en sécurité : gare à un coup de bec destructeur !

**3 MITRAILLEZ**
Arrangez-vous pour ne rien montrer de la cage. Les mouvements des oiseaux sont si vifs, si rapides et si imprévisibles que le temps de se rendre compte d'une belle image, le moment est déjà passé.

**4 FAITES DES GROS PLANS**
Ne cessez pas de photographier si, intrigué, l'oiseau entreprend d'examiner l'objectif de très près. Vous devrez sans doute activer le mode Macro ou Photo rapprochée au moment où l'oiseau s'avance vers l'enclos.

## POUR CETTE PHOTO

Le téléobjectif a permis de cadrer serré tout en plongeant le grillage dans le flou. Le mode Sport allié à une sensibilité moyenne ou grande garantit une vitesse d'obturation élevée qui fige le mouvement.

### MODE DE L'APPAREIL

Sport

### RÉGLAGE DU ZOOM

Petit téléobjectif

### SENSIBILITÉ ISO

Moyenne ou élevée

### FLASH

Désactivé

## 5 MÉFIEZ-VOUS DU FLASH

Il peut produire des effets bizarres lorsque l'animal est proche. De plus, il n'est pas toujours autorisé.

# Les oiseaux des jardins

Les oiseaux des jardins sont les animaux en liberté les plus accessibles au photographe car il est relativement facile de les attirer assez près pour en obtenir de bonnes images. Installez une mangeoire et attendez que la petite faune ailée locale l'ait découverte et estimé que votre jardin méritait d'être visité. Observez leurs habitudes. Par exemple, les oiseaux granivores se nourrissent tôt le matin tandis que les insectivores préfèrent chasser tard le soir.

Le mode Sport et une sensibilité élevée autorisent une grande vitesse d'obturation. Le téléobjectif est au maximum. La mise au point a été faite sur la branche, et plusieurs photos ont été prises dès que l'oiseau s'y est posé.

**MODE DE L'APPAREIL**

Sport

**RÉGLAGE DU ZOOM**

Téléobjectif maximal

**SENSIBILITÉ ISO**

Élevée

**FLASH**

Activé si nécessaire

### 1 ATTIREZ LES OISEAUX

Installez la mangeoire et un bain. Placez-les de manière à bénéficier d'un arrière-plan plaisant.

### 2 NETTOYEZ LES VITRES

Si vous désirez photographier discrètement depuis chez vous, assurez-vous que la vitre est impeccable.

### 3 SOYEZ PATIENT

Installez l'appareil pointé vers l'endroit où les oiseaux sont censés se poser. Si possible, utilisez un trépied et un déclencheur souple. Ou alors calez bien l'appareil en appuyant vos coudes sur le rebord de la fenêtre, mais pas contre la vitre qui doit rester propre.

### 4 PHOTOGRAPHIEZ SANS CESSE

Ne réfléchissez pas à ce qui se passe car, le temps de décider de déclencher, l'oiseau se sera peut-être déjà envolé. Prenez autant de photos que le permet l'autonomie de l'appareil. Par la suite, vous recadrerez les meilleures.

# La faune sauvage familière

La photographie de la faune locale en liberté peut être aussi excitante que celle des grands fauves dans les réserves et les parcs naturels. C'est aussi un excellent exercice pour le photographe animalier en herbe qui envisage de s'offrir un jour un safari. Observez de près le comportement des animaux, essayez différentes compositions et apprenez à patienter en attendant le bon moment.

## LES CONTRASTES DE COULEUR

Les poissons rouges dans un bassin sont un excellent sujet car leur couleur vive contraste avec les tonalités sombres de l'eau. Certains cadrages et effets peuvent confiner à l'abstraction.

**1** Exploitez les réflexions pour rehausser les couleurs et le contraste.

**2** Utilisez un filtre polarisant pour éliminer les reflets sur l'eau.

**3** Si l'eau est sombre, mesurez la lumière sur un élément neutre.

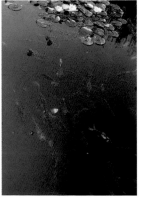

## LES OPTIONS DE CADRAGE

Les rassemblements d'oiseaux produisent de captivantes répétitions. Multipliez les prises de vue, puis choisissez les plus intéressantes graphiquement. Vous pouvez aussi ne choisir qu'un seul oiseau.

**1** Cadrez le groupe serré pour obtenir une répétition presque abstraite.

**2** Dans un portrait d'oiseau isolé, montrez sa forme et ses plumes.

**3** Utilisez un fort téléobjectif pour plonger le fond dans le flou.

## SAISIR LES MOUVEMENTS VIFS

Les petits animaux sont plus faciles à photographier si vous vous faites aider par quelqu'un qui les attire et les incite à rester tout près.

**1** Choisissez un endroit et attendez que l'animal y revienne, au lieu de le pourchasser.

**2** Si le téléobjectif est faible, prenez quand même la photo. Vous la recadrerez ensuite.

**3** Le flash peut effrayer l'animal et ralentit la cadence de prises de vue.

## À PROPOS DE LA COMPOSITION

Si vous possédez un jardin, encouragez les animaux à le fréquenter en leur fournissant de la nourriture et un abri. Ils s'habitueront peu à peu à vous, deviendront moins méfiants et finiront par ignorer votre présence.

**1** Prenez un sac en plastique pour vous coucher sans vous salir sur le sol si le cadrage l'exige.

**2** Utilisez un trépied miniature. Votre appareil sera ainsi plus stable et plus facile à manœuvrer.

**3** Relevez l'intérêt des photos en prenant des séries de vues dans divers contextes, au lieu d'une seule.

## INSECTES EN GROS PLAN

La règle, pour photographier des insectes comme de beaux papillons, est de rester à distance afin de ne pas les déranger.

**1** Un papillon revient souvent vers la même fleur. Réglez l'appareil et attendez son retour.

**2** S'il faut réduire la distance, ne déplacez que l'appareil plutôt que tout votre corps.

**3** Utilisez le flash pour figer le mouvement et aviver les couleurs.

La fraîcheur du matin crée les meilleures conditions pour photographier les animaux à sang froid, tels les reptiles, car leurs mouvements sont ralentis.

**1** Si possible, faites-vous aider de quelqu'un qui attire l'animal, mais sans le stresser.

**2** Choisissez le mode Macro, avec le téléobjectif au maximum, et faites le point sur les yeux.

**3** Évitez le flash. Il effarouche l'animal et sa lumière n'est pas très naturelle.

## LES MOUVEMENTS AQUATIQUES

Les oiseaux aquatiques sont d'excellents sujets pour le photographe, notamment parce qu'ils sont moins véloces dans l'élément liquide qu'en vol. De plus, l'eau offre un arrière-plan neutre constamment changeant.

**1** Une vitesse d'obturation élevée fige les mouvements de l'oiseau et des vaguelettes.

**2** Variez les cadrages, de l'oiseau entier aux détails de sa tête.

**3** Essayez de suivre les déplacements de l'oiseau au cours de l'exposition.

LES ANIMAUX >> LA FAUNE SAUVAGE FAMILIÈRE

## RENARD DES VILLES

Il est possible, même en ville, de photographier des animaux sauvages. Bien sûr, certains individus, comme les renards, sont plus rares qu'à la campagne. Il vous faut connaître leur mode de vie et vous armer de patience avant de pouvoir les photographier.

**1** Les animaux sauvages ont leurs habitudes. Apprenez donc à connaître leurs itinéraires

**2** Il vous faudra être très patient. Pensez à monter votre appareil photo sur un trépied.

**3** Servez-vous d'une longue focale ou placez votre appareil près de l'endroit où vous pensez que l'animal apparaîtra.

# L'aspect naturel

Grâce à l'incroyable qualité des zooms modernes, vous pouvez prendre des photos d'animaux dignes d'un professionnel. Vous pouvez donner l'illusion de la vie sauvage même si l'animal est en captivité.

Avec une préparation soigneuse et en plaçant judicieusement votre appareil photo, vous pouvez faire disparaître barreaux et cage. Les bêtes représentées ici ont été recueillies après avoir été abandonnées par leurs propriétaires peu soigneux.

## RESPECTEZ LES CAGES

Respectez les animaux et leurs cages. Obéissez aux règlements. Nombre d'animaux étant bien plus rapides que vous, ne vous en approchez pas et ne passez sous aucun prétexte vos doigts à travers les barreaux.

### 1 FAITES-VOUS DISCRET

Dans de nombreux centres de protection des animaux, il est possible de s'approcher de ceux-ci car ils sont souvent habitués à la présence humaine. Toutefois, soyez aussi calme que possible et évitez les mouvements brusques qui les effraieraient.

### 2 SOYEZ PATIENT

Vous devrez patienter avant que l'animal se présente comme vous le souhaitez. Tenez-vous prêt à viser à tout moment.

### 3 OUBLIEZ LA CAGE

Servez-vous de la focale maximale et approchez-vous au plus près de la barrière. Ouvrez au maximum pour réduire la profondeur de champ, ce qui a pour effet de flouter les barreaux de la cage et de les faire disparaître.

### 4 CADREZ LES YEUX

Les yeux révélant une foule d'expressions, essayez de cadrer cette zone du sujet. Pour réussir un cadrage comme celui-ci, réglez-vous en qualité maximale à la prise de vue.

# La faune sauvage depuis une voiture

La plupart d'entre nous n'ont jamais mieux approché les gros sujets que dans les parcs animaliers. Vous vous y promenez au pas en voiture, sans jamais vous arrêter, et vous ne pouvez photographier que vitres relevées.

Pour réussir vos photos dans de telles conditions, il vous faut prendre quelques précautions. La clé consiste à toujours garder un œil sur l'arrière-plan. Faites en sorte qu'il soit le moins ouvert possible de manière à ne pas être distrait par les animaux.

### 1 PRÉPAREZ LA VOITURE

Si elles ne sont pas parfaitement propres, lavez toutes les vitres de votre voiture, à l'extérieur comme à l'intérieur. Cela vous permettra de photographier de partout. Si votre véhicule a des vitres teintées, prenez-en un autre.

### 2 SUPPRIMEZ LES OBSTACLES

Vérifiez qu'aucun obstacle de type appuie-tête ne viendra obstruer votre visée. Une fois repéré, vous pourrez le supprimer juste avant de commencer le parcours.

### 3 CHOISISSEZ VOS RÉGLAGES D'APPAREIL

Réglez votre appareil sur des poses courtes pour capter l'action et parce que votre voiture bouge.

### 4 CRAMPONNEZ-VOUS

Placez l'appareil au plus près de la vitre pour éviter les reflets, mais ne vous y collez pas car les secousses pourraient flouter la photo. Appuyez-y plutôt un doigt en guise de soutien et pour absorber les vibrations.

### 5 SAISISSEZ LES OCCASIONS

Travaillez aussi vite que possible car vous n'avez droit qu'à une seule chance. Très peu de clichés seront bons, mais vous pourrez toujours améliorer les meilleurs après coup.

# Autour du parc animalier

Les occasions de faire de merveilleuses photos ne manquent pas dans un parc animalier. Celles que vous prenez vous donneront, comme à ceux qui les regarderont, la possibilité d'apprécier la beauté des animaux et tout ce qu'ils représentent. Munissez-vous de mémoire en quantité suffisante pour votre appareil (vous ne voudrez pas, en plein milieu du parcours, avoir à effacer des clichés pour faire de la place), ainsi que de batteries de rechange.

## ANIMAUX DANS L'EAU

Ces otaries étaient particulièrement actives et excitées à l'approche de l'heure du repas. J'ai recherché un angle où l'eau offrait les reflets les plus irisés ; je n'ai plus eu, ensuite, qu'à attendre le bon moment.

**1** Repérez les déplacements de l'animal.

**2** Travaillez en poses courtes pour capter des mouvements nets.

**3** Réglez votre zoom en position moyenne et cadrez l'action lorsqu'elle se présente sans changer de focale.

## GROS PLAN IRISANT

Le majestueux plumage d'un paon ne demande qu'à être photographié. C'est l'un des rares cas où la prise de vue d'un animal réclame la présence d'un flash.

**1** Si possible, positionnez votre appareil au-dessus des plumes de l'oiseau.

**2** Mettez-vous en haute résolution pour capturer la finesse des détails et la subtilité des couleurs.

**3** Zoomez et servez-vous du flash pour capter les irisations du plumage.

## PORTRAIT AU NEZ À NEZ

Si le dresseur vous assure que c'est sans danger, approchez-vous au maximum de l'animal et faites-en un portrait en gros plan. Vous devrez faire preuve de courage, mais cela en vaut la peine.

**1** Avancez-vous doucement mais sans hésiter pour ne pas intimider l'animal.

**2** Désactivez le flash de manière à ne pas déclencher de réaction hostile.

**3** Servez-vous d'un grand-angle pour accentuer l'aspect impressionnant du gros plan.

Certains animaux comme les hippopotames s'activent à l'heure du repas. Ce qui ne vous laisse que quelques minutes pour en faire un portrait dynamique. Tenez-vous toujours prêt.

**1** Observez minutieusement l'animal pour prévoir ses déplacements.

**2** Servez-vous d'une longue focale pour un portrait en gros plan impressionnant.

**3** Placez-vous de manière à jouir d'un bon éclairage au moment où l'animal apparaît.

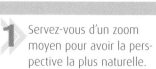

## INTERACTION LUDIQUE

Les visites guidées sont d'excellentes occasions de faire des photos illustrant la relation gardiens-animaux.

**1** Servez-vous d'un zoom moyen pour avoir la perspective la plus naturelle.

**2** Ne soyez pas tenté d'utiliser le flash même si la lumière est faible. Choisissez plutôt une sensibilité élevée.

## GROS PLAN SUR LA FAUNE SAUVAGE

Nombre de portraits d'animaux, à l'instar de ceux d'humains, montrent la face non occultée. Dans leur milieu, les animaux ne se montrent pas. Les photos les plus réalistes sont celles qui donnent l'impression d'avoir été prises dans la nature.

**1** Avancez lentement et calmement pour ne pas effrayer l'animal.

**2** Servez-vous du zoom le plus long pour être plein cadre sur la tête.

**3** Pour que l'arrière-plan soit flou, combinez longue focale et point sur les yeux.

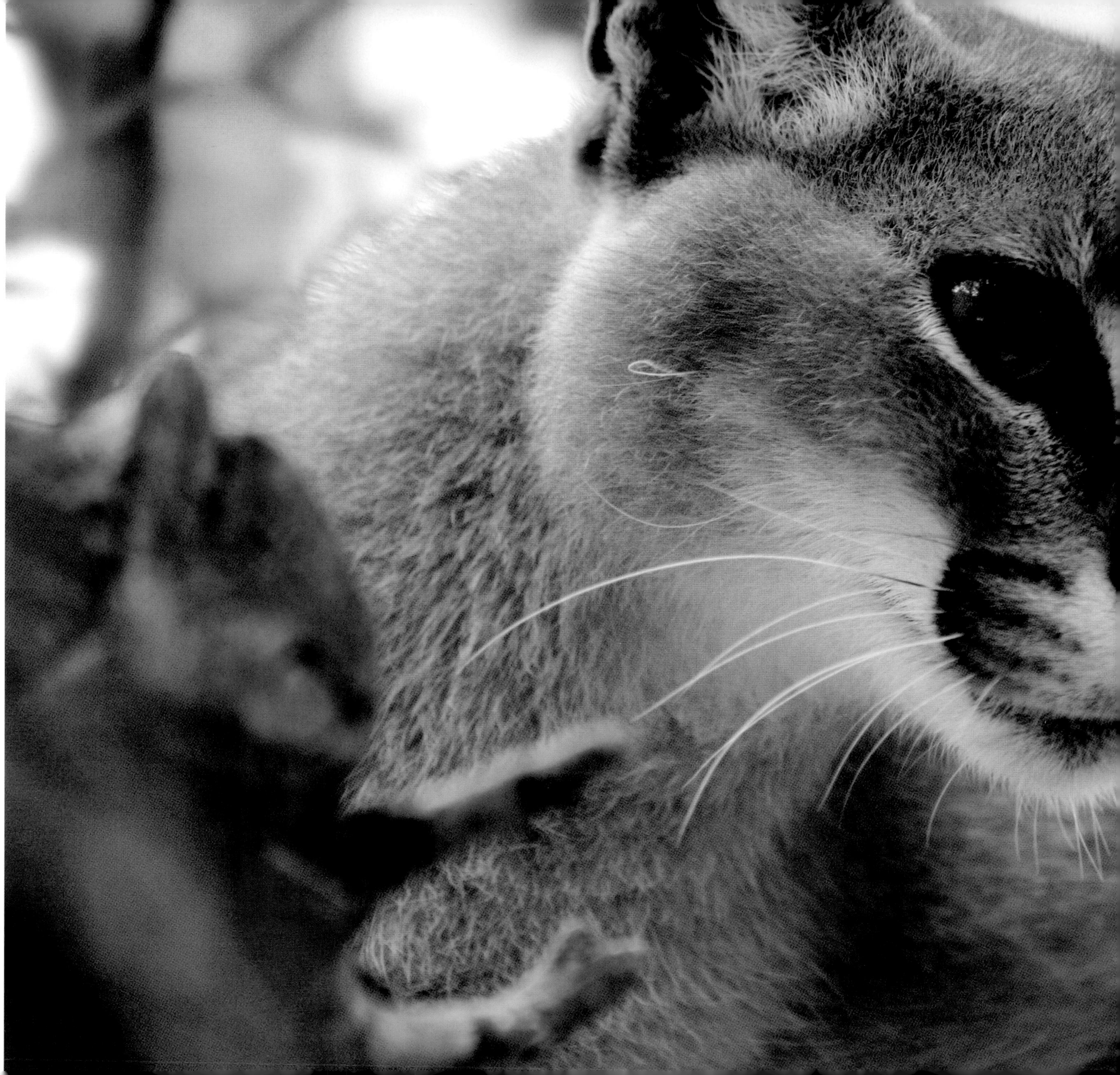

## PORTRAIT DE GROS FÉLINS

Les meilleurs portraits de gros félins sont ceux qui les dépeignent totalement, et peu collent à cette disposition. Mieux vaut s'armer de patience – appareil armé et œil au viseur – si l'on veut faire des photos surprenantes.

**1** Prenez le temps d'observer l'animal et laissez-le s'habituer à votre présence.

**2** Lors de prises de vue à distance, servez-vous de la focale la plus longue.

**3** Tenez votre appareil en le montant, de préférence, sur un trépied ou en l'appuyant sur un poteau.

**4** Faites toujours le point sur les yeux de l'animal. S'ils sont nets, il importe peu que le reste du sujet ne le soit pas.

# À l'aquarium

Le meilleur moyen de photographier la vie subaquatique est de déambuler dans les tunnels vitrés des grands aquariums. C'est une expérience excitante dans la mesure où vous vous trouvez toujours au centre de la scène, avec les poissons qui nagent autour et au-dessus de vous. Dans ce genre d'environnement, les niveaux de lumière sont très faibles et il vous faut choisir la sensibilité la plus élevée et désactiver le flash qui pourrait éblouir les poissons.

## POUR CETTE PHOTO

J'ai tout d'abord désactivé le flash puis réglé l'appareil en fonction de l'action et de l'éclairage. Du fait de l'eau et des vitres, la balance chromatique globale tire sur le gris-bleu.

### MODE DE L'APPAREIL

 Sport

### RÉGLAGE DU ZOOM

Grand-angle à normal

### SENSIBILITÉ ISO

 Élevée

### FLASH

Désactivé

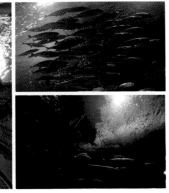

### 1 PRÉPAREZ LA PHOTO

Promenez-vous dans l'aquarium et repérez les meilleurs éclairages. Réglez votre appareil en mode Sport et à la sensibilité ISO la plus élevée (800 ISO ou plus) pour vous assurer une netteté maximale.

### 2 PENSEZ COMME UN REQUIN

Repérez les déplacements et les itinéraires préférés du squale ainsi que les endroits où il revient régulièrement. Placez-vous de manière à réunir un arrière-plan et un éclairage attrayants et préparez-vous à photographier quand l'animal passera.

### 3 TENEZ-VOUS FERMEMENT

Vous ne pourrez peut-être pas vous servir d'un trépied et vous devrez donc prendre appui sur un support quelconque ou tenir l'appareil en extension si vous êtes debout. Évitez de trop zoomer, ce qui ralentit le déplacement des optiques et rend l'instantané difficile.

### 4 CAPTEZ LE MOUVEMENT

Que vous preniez des sujets en groupe ou isolés, essayez des poses prolongées qui suggèrent le mouvement par le flou, et exploitez les motifs de lumière et d'ombre pour donner à ce dernier une direction.

À L'AQUARIUM >> LES ANIMAUX    **203**

# Les animaux

La clé pour réussir des clichés d'animaux – sauvages, domestiques ou en captivité – est la patience. Dans la nature, notamment, vous devez passer du temps à pister une bête pour la prendre correctement en photo. Même dans un zoo, prenez le temps d'observer et d'attendre quelques minutes. Vous en serez récompensé.

### SILHOUETTES DU DÉSERT
Le dromadaire se reconnaît aisément par sa ligne. Pour obtenir une silhouette comme celle-ci, prenez votre photo au petit jour ou à la tombée de la nuit.

### ANIMAUX ET PAYSAGES
Les moutons sont intimement liés au paysage qui les environne. Les représenter en groupe est plus intéressant que de les montrer éparpillés sur les collines.

### AU NIVEAU DU SOL
Pour des vues plus intimes d'animaux en période amoureuse, placez-vous assez bas. Les appareils numériques facilitent la prise de vues astucieuses.

## AU BON ENDROIT AU BON MOMENT

Lors de la prise de vue d'animaux en représentation comme ce dauphin, il est essentiel d'être assis à proximité. Pas seulement pour la qualité de l'éclairage mais pour mieux réussir les instantanés d'action. Des gros plans de qualité tels que celui-ci seraient impossibles à obtenir à distance.

## PHOTO SOUS-MARINE

Tirez parti de l'offre actuelle en boîtiers étanches jusqu'à 5 mètres proposés avec bon nombre d'appareils numériques et explorez le monde sous-marin.

## TÊTE ET ÉPAULES

Servez-vous d'une longue focale de zoom pour isoler la tête d'un animal puis incruster son corps en arrière-plan pour créer une harmonieuse composition de couleurs.

## TROMPE-L'ŒIL

Cadrez serré sur votre sujet pour créer des compositions intéressantes. Sur cette photo, les membres de ce chat assoupi semblent anatomiquement incorrects.

Il s'agit en réalité d'un mélange de plusieurs chats, mais l'information a été tronquée. Les rayures de la fourrure ajoutent à l'embarras.

## L'AVANTAGE D'UN SUPER-ZOOM

Il peut être difficile de s'approcher d'un groupe d'animaux timides comme ces flamants. Dans ce cas, il vous faut utiliser un appareil photo numérique muni d'un super-zoom – plus de 300 mm.

Vous bénéficiez ainsi d'un surcroît de profondeur de champ qui rendra tout flou, excepté le plan médian, ce qui apportera la précision souhaitée.

Architecture

1 2 3 4 5 6 7 8

**L'architecture** présente un avantage considérable sur tout autre domaine de la photographie : votre sujet est fixe et le demeure au fil des ans. Il est par ailleurs facile à repérer, et si vous ne le remarquez pas du premier coup, il ne vous échappera pas la fois d'après. Ce qui ne signifie pas que la photo architecturale soit facile. Pour créer quelque chose d'original, vous devez autant tenir compte de l'éclairage et de l'angle de vue que du bâtiment. Vous allez découvrir que plus un sujet se propose à vous, plus il vous est difficile d'associer avec précision lumière et lignes et plus vous devez prendre soin du cadrage.

# Se concentrer sur les détails

Du fait des hordes de touristes qui s'y agglutinent, l'extérieur de nombre de magnifiques monuments peut être difficile à photographier. Dans ce cas, concentrez-vous sur les détails, souvent imaginés pour attirer le regard ; toutefois, une même photo prise sous des angles différents n'aura pas le même effet. La clé consiste à rechercher une perspective qui fonctionne photographiquement, mais pas forcément voulue par l'architecte.

Vous pouvez faire de nécessité vertu quand vous devez prendre des vues rapprochées de grands bâtiments. Au besoin, servez-vous d'un grand-angle et inclinez fortement l'appareil photo. Cela produit une convergence accentuée des lignes parallèles. Les compositions présentant une certaine symétrie fonctionnent souvent mieux que celles qui en sont dépourvues.

### 1 TENEZ COMPTE DE L'ÉCLAIRAGE
Promenez-vous autour du bâtiment à la recherche de détails intéressants. Si la plupart des grands bâtiments sont dans l'ombre une partie de la journée, il vous faudra attendre les conditions d'éclairage optimales, en particulier si un trépied est malvenu dans les endroits peuplés.

### 2 TENEZ COMPTE DU RÉSULTAT FINAL
Il est naturel de débuter une prise de vue en cadrant au plus près du monument, mais au risque de viser le nez des sculptures et de manquer le sens originel de la structure. Éloignez-vous un peu et servez-vous d'une focale plus longue pour traduire votre perception des détails.

 **POUR CETTE PHOTO**

J'ai choisi une longue focale de zoom et une sensibilité ISO moyenne à élevée. Mais il fallait aussi beaucoup de lumière et j'ai dû attendre que le soleil tourne. En m'éloignant de la foule, j'ai pu me servir d'un trépied et ainsi faire des photos très nettes.

**MODE DE L'APPAREIL**

 Programme

**RÉGLAGE DU ZOOM**

Téléobjectif

**SENSIBILITÉ ISO**

 Moyenne à élevée

**FLASH**

Désactivé

**3 TROUVEZ LE MEILLEUR ANGLE**

Prendre de trop près peut rendre les détails peu lisibles. En vous éloignant un peu, vous pouvez améliorer l'aspect général ainsi que l'exposition.

# Forme et espace

Se caractérisant souvent par des effets d'espace, l'architecture moderne est un sujet de photo fascinant. Pour créer des clichés de qualité, vous devez être capable de choisir parmi les mille et une possibilités offertes et de tirer parti de la vision de l'architecte. Au premier contact avec un complexe architectural, le réflexe est de se servir d'un grand-angle pour cadrer la scène au plus large. Mais la beauté est souvent dans les détails.

Au crépuscule, les immeubles ne sont plus éclairés par le soleil mais par de nombreuses petites sources ponctuelles. Un tel éclairage est un régal pour les yeux. Si le caractère général de la scène dépend des contrastes entre la diffusion des couleurs chaudes et le ciel bleu, mettez-vous en mode Nuit pour éviter la correction des tons chauds en blanc neutre.

## 1 EXPLOREZ L'ENDROIT

Certains lieux incitent à l'inspiration, alors que d'autres rendent la composition difficile. Il se peut que vous vouliez simplement tenter d'appréhender les intentions de l'architecte. Dans ce cas, faites un tour et imprégnez-vous de tout.

## 2 EXPLOITEZ LES ÉLÉMENTS

Si vous repérez une caractéristique ou une zone qui vous plaît, exploitez-la. Essayez différentes perspectives et différents réglages de zoom et couvrez complètement cette zone. Ainsi, vous ne regretterez pas plus tard d'avoir raté une prise.

## 3 RECHERCHEZ DES MOTIFS

La plupart des immeubles modernes regorgent de sujets d'émerveillement. La difficulté réside dans l'usage du médium photographique unidimensionnel pour figurer un sujet tridimensionnel complexe. Recherchez des motifs dynamiques et des formes récurrentes qui caractérisent la structure.

## POUR CETTE PHOTO

J'ai utilisé la position téléobjectif pour jouer sur les contrastes de texture et sur les rythmes visibles sur l'image. Grâce aux réglages de définition élevée, j'ai obtenu des lignes et des détails clairs, ainsi que de la douceur dans le ciel et les parties blanches.

### MODE DE L'APPAREIL

Paysage

### RÉGLAGE DU ZOOM

Toutes focales

### SENSIBILITÉ ISO

Faible à moyenne

### FLASH

Désactivé

## CRÉEZ UN THÈME VISUEL

Un ensemble d'images liées par un thème particulier – des escaliers, par exemple – est souvent plus efficace qu'un cliché unique.

## COULEUR DE LUMIÈRE

La photo, plus que tout autre support artistique, nous a réellement ouvert les yeux sur la variété et la richesse des couleurs la nuit. Non seulement l'appareil photo accentue les couleurs en lumière faible, mais il peut aussi capter des subtilités tonales qui échappent à la vue.

**1** Recherchez des contrastes entre les formes végétales et les figures géométriques fortes.

**2** Rappelez-vous que des couleurs captées de nuit peuvent dépasser votre entendement.

**3** Servez-vous d'un trépied pour travailler en faible sensibilité et obtenir des photos de qualité.

# L'aspect carte postale

Cette ravissante église à dôme bleu baignée de soleil est particulièrement photogénique. Toutefois, et c'est souvent le cas avec les édifices remarquables, le meilleur angle de vue est aussi celui qui conduit à des files de touristes ou est signalé par des panneaux. Pour celui-ci, il y avait des voitures visibles partout mais aussi, heureusement, pas mal de végétation. Avec un peu d'astuce, il est généralement possible de trouver un emplacement qui mette en valeur le bâtiment tout en masquant les horreurs.

## POUR CETTE PHOTO

J'ai obtenu la meilleure qualité globale en me servant d'un grand-angle raisonnable, du réglage haute qualité et d'une sensibilité faible. Pour avoir la profondeur de champ maximale, j'ai sélectionné le mode Paysage.

### MODE DE L'APPAREIL
Paysage

### RÉGLAGE DU ZOOM
Grand-angle

### SENSIBILITÉ ISO
Faible

### FLASH
Désactivé

## FILTRES POLARISANTS

Sans filtre    Avec filtre

Si le soleil est plus ou moins derrière vous quand vous photographiez, vous pouvez vous servir d'un filtre polarisant. C'est un accessoire optique qui assombrit le bleu du ciel. Il donne un effet saisissant qui ne peut être imité avec précision par retouche. Les filtres polarisants peuvent être utilisés sur la plupart des appareils compacts.

## 1 TENEZ COMPTE DES ANGLES DE VUE

Explorez l'édifice sous différentes perspectives. Ici, une vue avec le soleil par-derrière aurait donné des blancs plus brillants et un ciel plus bleu, mais ce n'était pas la meilleure vue. La partie à l'ombre était intéressante mais des voitures auraient été dans le champ et les arbres obscurcissaient le bâtiment.

## 2 ESSAYEZ LE ZOOM

Il est possible de zoomer sur des détails pour évacuer tout ce qui distrait. Toutefois, le sens de l'ensemble et l'identité de l'édifice seront perdus : les détails pourraient appartenir à n'importe quelle construction méditerranéenne.

## 3 ESSAYEZ PLUSIEURS FORMATS

Le format portrait peut permettre de supprimer des objets parasites. Toutefois, une vue paysage convient mieux au sujet et confère un aspect carte postale. Le cadrage peut être encore affiné. Par exemple, s'accroupir fut un moyen efficace pour masquer les voitures derrière les buissons.

# Illuminations nocturnes

Si vous pensiez que les photos remarquables où le ciel est d'un bleu profond et les édifices admirablement éclairés relevaient du domaine exclusif des photographes professionnels, vous vous trompiez.

Le secret : photographier à la tombée de la nuit. C'est à ce moment que le ciel retient encore un peu de lumière mais commence aussi à s'assombrir. Le bleu majestueux équilibre les éclairages sur le bâtiment.

## POUR CETTE PHOTO

Pour obtenir un juste équilibre entre profondeur de champ et pose moyenne, j'ai choisi de travailler au grand-angle avec une sensibilité ISO élevée et en mode Paysage. J'ai désactivé le flash et utilisé un trépied.

**MODE DE L'APPAREIL**

Paysage

**RÉGLAGE DU ZOOM**

Grand-angle

**SENSIBILITÉ ISO**

Élevée

**FLASH**

Désactivé

### 1 ARRIVEZ TÔT

Soyez sur place suffisamment en avance pour faire vos réglages, puis photographiez au début du crépuscule et à la nuit tombée. Le temps et la luminosité des éclairages de l'édifice jouent sur le moment idéal de la prise de vue et les résultats varient selon les conditions.

### 2 VÉRIFIEZ VOS PROGRÈS

Un trépied facilite la prise de vue. La lumière disponible variant rapidement, vous devez vérifier votre travail au fil des heures. Essayez différentes expositions pour trouver les meilleurs réglages.

### 3 AJOUTEZ UNE NOTE HUMAINE

Tirez parti de la présence de passants, même sous forme de silhouettes, pour donner de la vie à vos clichés. Cependant, les poses pouvant être longues, leur rendu risque d'être flou.

### 4 ESSAYEZ DIFFÉRENTS ANGLES

Il vous faudra choisir un niveau constant pour l'appareil (photo ci-contre). Toutefois, pour une prise plus dynamique, visez vers le haut ; dans ce cas, des lignes parallèles, comme ces colonnes sur l'image opposée, semblent converger, donnant une impression d'inclinaison du bâtiment.

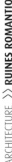

# Ruines romantiques

Dès les premiers temps de la photo, les photographes se sont intéressés aux édifices pour leur immobilité et la nécessité de poses très longues. Les ruines d'anciens monuments étaient particulièrement prisées pour leur délicate association avec le passé. Malgré l'avènement de la photo couleur, l'usage du noir et blanc demeure très efficace pour donner du caractère à une ruine.

<br />

## POUR CETTE PHOTO

L'appareil monté sur un trépied, j'ai choisi un téléobjectif moyen, une qualité élevée, une faible sensibilité ISO et le flash désactivé. J'ai exposé en utilisant le retardateur pour éviter tout bougé.

### MODE DE L'APPAREIL
📷 Paysage

### RÉGLAGE DU ZOOM
🔄 Téléobjectif moyen

### SENSIBILITÉ ISO
📶 Faible

### FLASH
⚡ Désactivé

## AMBIANCE COLORÉE

Si les ruines sont légèrement monochromes, vous devrez travailler en couleurs. Vous pouvez changer d'ambiance en jouant sur la balance du blanc : essayez divers réglages sur l'appareil – tungstène, ensoleillé, fluorescent, etc.

### 1 SOYEZ STABLE

Si l'endroit est ombragé ou si la lumière naturelle est insuffisante, mieux vaut vous servir d'un trépied. Si vous vous trouvez sur un lit de feuilles ou sur un sol meuble, veillez à le stabiliser.

### 2 EXPLOREZ LES LIEUX

Recherchez dans les ruines des zones qui soulignent l'aspect dramatique et cadrez sur des restes d'arches ou de fenêtres. Vous pouvez aussi exploiter des signes de la nature qui expriment l'espace. Travaillez en lumière ambiante en tenant compte de la manière dont elle évolue.

### 3 CHOISISSEZ UN ANGLE DE VUE

Au terme de votre exploration, vous aurez trouvé la perspective idéale, mélange d'atmosphère et de composition photographique. Les arbres et les feuillages du premier plan peuvent véhiculer une idée de découverte. Vous ferez le point plus à l'arrière pour créer de la profondeur en les ayant flous.

# Vues abstraites

De nombreux exemples d'architecture moderne offrent un traitement visuel, notamment ceux qui exploitent des formes massives, preuves d'exubérance et d'énergie. En photographie, de tels édifices sont de vrais cadeaux, encore faut-il pouvoir en traduire les qualités sur un cliché. Sur l'exemple ci-dessus, l'esprit du bâtiment est concrétisé par l'interaction du dur avec du doux, des courbures avec des lignes raides.

## POUR CETTE PHOTO

Des vues au grand-angle sont plus faciles à cadrer, mais pour les détails, mieux vaut une focale standard. J'ai choisi la haute résolution pour rendre le détail des textures et veillé à la propreté des optiques au cas où le soleil serait dans le cadre.

**MODE DE L'APPAREIL**

Programme

**RÉGLAGE DU ZOOM**

Grand-angulaire

**SENSIBILITÉ ISO**

Faible à moyenne

**FLASH**

Désactivé

### 1 AFFRANCHISSEZ-VOUS DES LIEUX DIFFICILES

Il est souvent impossible, par manque de recul ou au risque de se blesser, de photographier la totalité d'un édifice. Essayez plutôt de vous en approcher et de l'explorer en détail. Le plus grand angle du zoom vous aidera à donner une impression d'espace.

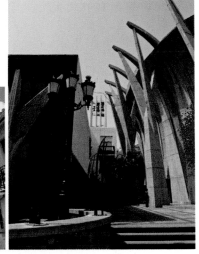

### 2 VISEZ VERS LE CIEL

Les lignes de flèche d'un grand bâtiment vous encouragent à regarder vers le haut. Pour avoir le champ de vision le plus large possible, accroupissez-vous. Le choix d'une approche abstraite vous libère de toute contrainte de perspective.

### 3 PRENEZ DE NOMBREUSES VUES

Par temps ensoleillé, vous pouvez jouer avec les reflets du soleil ou chercher à les éviter. Essayez différentes prises pour vous constituer une bonne sélection avant le choix final. L'image la plus abstraite est la plus dépourvue du sens des proportions.

# Vastes zones fermées

Il existe différents moyens de faciliter la photographie d'intérieurs monumentaux. Bien entendu, les architectes eux-mêmes conçoivent et construisent de manière à automatiquement vous conduire au meilleur point de vue à partir duquel les lignes de l'édifice s'assemblent pour former une magnifique composition. Il vous faudra du temps et de la patience pour parvenir à capter la personnalité d'un espace.

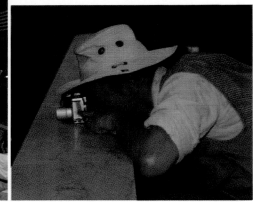

## POUR CETTE PHOTO

Le zoom en position grand-angle, j'ai tenu l'appareil de niveau pour avoir des verticales droites et parallèles. J'ai choisi une sensibilité moyenne à élevée et une pose longue – une seconde environ – pour m'assurer du bon appui de l'appareil.

**MODE DE L'APPAREIL**

 Priorité à la vitesse

**RÉGLAGE DU ZOOM**

 Grand-angulaire

**SENSIBILITÉ ISO**

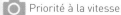 Moyenne à élevée

**FLASH**

Désactivé

## 1 RECHERCHEZ UN POINT DE VUE

Explorez le bâtiment et recherchez l'emplacement qui vous offre la meilleure perspective. À partir de là, vous pourrez observer les gens et l'espace sans être gêné.

## 2 SERVEZ-VOUS DE LA LUMIÈRE

Dans un intérieur faiblement éclairé, vous risquez de prendre des photos sous-exposées. Vous pourriez naturellement augmenter la sensibilité pour exploiter toute la lumière mais au risque de poser moins longtemps et de perdre le filé des passants. Choisissez plutôt une pose d'au moins une seconde pour capter un maximum de lumière et de mouvement.

## UNE APPROCHE DIFFÉRENTE

Pour une perspective inhabituelle, essayez quelque chose de complètement différent. Ici, j'ai placé l'appareil sur le sol lustré du bâtiment pour rendre l'idée de circulation humaine intense. À ce niveau, la moitié de la vue est occupée par les reflets des éclairages et des passants.

## 3 SUIVEZ LES LIGNES DU BÂTIMENT

Dans un espace fortement symétrique, mieux vaut suivre les concepts de l'architecte et rechercher la symétrie plutôt que de cadrer plein centre.

# Intérieurs faiblement éclairés

Les cathédrales ou les mosquées se caractérisent généralement par des intérieurs richement ornés. Ces édifices sont faiblement éclairés pour susciter la contemplation. Le trépied y étant en général proscrit, l'astuce pour reproduire cette ambiance consiste à comprendre que votre appareil photo enregistre plus de couleurs que vous et à rechercher des endroits où prendre appui comme des bancs ou des piliers.

## POUR CETTE PHOTO

Pour photographier le plafond, j'ai placé l'appareil sur le sol, le zoom étant réglé en grand-angle. Il me fallait une sensibilité élevée pour exploiter le maximum de lumière. J'ai déclenché à l'aide du retardateur réglé sur 2 secondes.

**MODE DE L'APPAREIL**

 Paysage

**RÉGLAGE DU ZOOM**

 Grand-angulaire

**SENSIBILITÉ ISO**

 Élevée

**FLASH**

 Désactivé

### 1 DÉSACTIVEZ LE FLASH

Avant d'explorer l'intérieur, veillez à désactiver votre flash intégré. Il est généralement interdit dans de tels lieux et il détruit l'éclairage subtil qui donne son caractère à l'espace.

### 2 TROUVEZ UN APPUI

Prenez appui sur une surface ferme et servez-vous de livres ou de cartes pour ajuster l'angle d'inclinaison de l'appareil photo. Utilisez le retardateur pour déclencher sans créer de tremblements. Maintenez seulement l'appareil au déclenchement.

### 3 BRACKETING

Dans de vastes intérieurs, on passe souvent de zones très sombres à des endroits très lumineux (les fenêtres, en général). C'est intéressant pour le photographe qui peut ainsi prendre des clichés sombres et d'autres brillants et choisir plus tard le meilleur.

### 4 LAISSEZ-VOUS DES OPTIONS

Ne pouvant prévoir avec précision le résultat de vos photographies, faites le tour et prenez plusieurs clichés dans différentes positions. Vous les examinerez à la volée ou les recadrerez plus tard.

# Espaces intérieurs modernes

Les maîtres mots qualifiant la plupart des intérieurs modernes sont détail, couleur, et souvent espace limité. Contrairement au caractère monumental des châteaux et des demeures, un intérieur moderne appelle un style de photographie personnel. Observez-le avec l'œil du décorateur : ce qui ressemble à un endroit dépouillé peut très bien se révéler être un espace d'accueil privé. Pour rendre l'esprit réel du cadre, désactivez le flash – peu importe le degré d'obscurité y régnant – et travaillez avec la lumière disponible.

J'ai choisi le mode Priorité à l'ouverture pour obtenir un maximum de profondeur de champ, puis j'ai réglé le zoom en grand-angulaire. J'ai légèrement sous-exposé pour garder le côté foncé des banquettes.

**MODE DE L'APPAREIL**
Priorité à l'ouverture

**RÉGLAGE DU ZOOM**
Grand-angulaire

**SENSIBILITÉ ISO**
Élevée

**FLASH**
Désactivé

## 1 DEMANDEZ UNE AUTORISATION

Certains établissements interdisent de photographier leur intérieur. Même si vos photos n'ont aucun but commercial, veillez à obtenir l'autorisation avant de démarrer la prise de vue d'un restaurant ou d'un bar à la mode.

## 2 EXPLOREZ ALENTOUR

Recherchez sur le site le meilleur angle pour vos photos. Tenez compte des couleurs, de la lumière et des formes. Dans un tel cadre, plein de coins sombres, il est plus facile de photographier des zones réduites que de larges perspectives.

## 3 TENEZ COMPTE DE L'ÉCLAIRAGE ET DES RÉFLEXIONS

Les intérieurs modernes comprenant souvent des miroirs, mieux vaut éviter de vous y refléter. Parfois, les images les plus attrayantes – ici, le soleil éclairant une collection de bouteilles – expriment plus une émotion qu'un décor.

## 4 CONCENTREZ-VOUS SUR LES DÉTAILS

Les décorateurs modernes savent susciter l'intérêt en termes de détails et de contrastes de couleurs. Essayez différentes prises avec autant de détails abstraits ou graphiques possibles.

## LIGNES ET ÉCLAIRAGE

La photographie est le partenaire naturel du décor intérieur moderne : l'appareil photo sonde tous les éléments stylistiques proposés. Sur ce cliché, les lignes claires, l'éclairage et les surfaces réfléchissantes du bar d'un hôtel se conjuguent pour créer une composition saisissante.

**1** Recherchez des reflets. Bon nombre d'intérieurs modernes présente un aspect brillant, lustré.

**2** Par faible éclairage, désactivez le flash pour éviter d'écraser de délicats effets de lumière.

**3** Selon le contexte et la profondeur de champ souhaitée, servez-vous d'un grand-angle.

**4** Si les couleurs de votre cliché ne sont pas totalement précises, corrigez-les ultérieurement à l'aide d'un logiciel de retouche photo.

# Repères urbains incontournables

D'importants points de repère architecturaux constituent de véritables défis pour le photographe. Bien qu'ils soient éminemment photogéniques, les monuments phares d'une ville font tellement partie du paysage qu'il est difficile de les regarder avec un œil neuf. Il est toutefois surprenant de constater à quel point votre perception peut changer si vous savez regarder.

## POUR CETTE PHOTO

J'ai choisi l'exposition automatique, réglé le zoom en grand-angulaire et adjoint une courte focale supplémentaire pour caler la tour de Big Ben entre le mobilier urbain et les immeubles.

### MODE DE L'APPAREIL

 Paysage

### RÉGLAGE DU ZOOM

 Grand-angulaire

### SENSIBILITÉ ISO

 Faible

### FLASH

Désactivé

## 1 ESSAYEZ UNE APPROCHE CLASSIQUE

Les raisons de photographier banalement les monuments phares d'une ville sautent d'emblée aux yeux. Les perspectives dégagées ne sont généralement pas légion et la plupart des clichés sont pris sous ce qui semble être le meilleur angle.

## 2 IDENTIFIEZ LES PROBLÈMES

Il est normal de tenter de se rapprocher de son sujet, mais cela soulève plusieurs problèmes. Tout d'abord, il est difficile de prendre un grand édifice sans déformations. Ensuite, viser le ciel entraîne des risques de surexposition.

## 3 INTÉGREZ D'AUTRES SYMBOLES

Évitez de prendre des photos impersonnelles en vous déplaçant légèrement. Ce qui peut vous permettre d'inclure d'autres symboles urbains – stations de métro, autobus ou cabine téléphonique, comme ici. Recherchez un cadrage surprenant ou informel.

# Monuments phares du monde

Les monuments mythiques du monde entier étant si abondamment photographiés, il semble presque impossible d'en faire une photo vraiment originale. Il vous faut donc redoubler d'efforts pour créer des images plus intéressantes que le cliché ordinaire qui ne donne qu'une vue superficielle. Le mieux est de travailler avec la lumière disponible et de prendre le temps d'apprécier le cachet de l'édifice.

## MODIFIER L'ÉCLAIRAGE

Quelle que soit la lumière, le Taj Mahal d'Agra, en Inde, est magnifique. Le marbre reflète tout éclat et ses contours sont visibles même dans le brouillard.

**1** Prenez des vues sous tous les angles, pas seulement depuis l'allée principale.

**2** Sélectionnez la résolution maximale pour garantir le meilleur piqué d'image.

**3** Pour enregistrer le raffinement de l'éclairage de la scène, sélectionnez la qualité d'image optimale.

## CADRAGE SERRÉ

Des monuments comme la statue de la liberté sont d'un accès assez difficile. Partant, mieux vaut commencer à les photographier dès qu'ils sont à portée de vue.

**1** Plutôt que de rester trop près et de viser vers le haut, ce qui induit des distorsions, éloignez-vous et zoomez.

**2** Zoomez pour cadrer sur les caractéristiques clés et souligner la texture de la surface.

**3** Photographiez sous différents angles pour trouver un contour expressif et pour tirer parti du vide autour de la statue.

## COMPOSITIONS ÉVOCATRICES

C'est un privilège que de pouvoir visiter un monument à toute heure du jour. Si vous le pouvez, rien ne vaut la possibilité de comparer les effets de différents éclairages et couleurs sur une même scène. Ces deux clichés de Stonehenge, en Angleterre, expriment des impressions totalement différentes.

**1** Optez pour la lumière du jour afin de capter les couleurs, les ombres fortes et les nuages.

**2** Créez une image plus éthérée en prenant une silhouette du monument au couchant.

## FORMES DISTINCTIVES

Des édifices aux formes solides, inhabituelles – comme l'Opéra de Sydney –, dominent le paysage. Tirez-en parti et photographiez-les sous différents angles et distances.

**1** Faites un plein usage de votre zoom et, quelle que soit la distance, servez-vous de toutes les focales.

**2** Faites des essais en noir et blanc : les niveaux de gris sont efficaces pour souligner des formes.

**3** Inutile de cadrer tout l'édifice : une vue partielle peut être plus parlante que l'ensemble.

## DISPOSITIF DE CADRAGE

Cette vue de Pétra, en Jordanie, fonctionne particulièrement bien du fait du dispositif de cadrage formé par les murs du ravin s'ouvrant sur d'étonnantes sculptures.

**1** Faites des essais en mode Portrait et Paysage pour faire ressortir des caractéristiques différentes du monument.

**2** Utilisez une profondeur de champ maximale si vous voulez que le cadre et le sujet principal soient nets.

**3** Réglez l'exposition sur le sujet central pour éviter que l'appareil photo la calcule sur la périphérie foncée du cadre.

## PYRAMIDES AU COUCHANT

Si le soleil est trop fort dans la journée, il vous faudra travailler à l'aube ou au crépuscule, quand la lumière est plus douce et rougeoyante.

**1** Concentrez-vous sur le rendu des subtiles couleurs du ciel et celui des pyramides en ombres chinoises.

**2** Essayez de photographier votre sujet sous différents angles et à l'aide de différentes focales – inutile de le faire systématiquement entrer dans le cadre.

## AMÉLIORER LES TEXTURES

Des ruines antiques très photogéniques comme le temple de Poséidon à Athènes expriment une certaine poésie. Vous pouvez améliorer l'apparence des vieilles pierres de marbre blanc en jouant sur le contraste avec le ciel.

**1** Tenez votre appareil de niveau pour réduire l'effet des verticales convergentes.

**2** Utilisez un filtre polarisant du type recommandé pour votre appareil.

**3** Choisissez une pose longue pour accroître la profondeur de champ et, partant, la netteté globale.

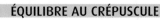

## ÉQUILIBRE AU CRÉPUSCULE

C'est au crépuscule que l'on fait les plus belles photos de monuments urbains comme la tour Eiffel, quand le ciel s'assombrit et que les réverbères s'allument.

**1** Essayez différents réglages d'exposition pour voir celui qui convient le mieux en termes de

**2** Servez-vous d'un trépied pour éviter de pousser la sensibilité quand vous manquez de lumière.

# Vitraux

De nombreux vitraux de cathédrales ou autres lieux de culte ont tout d'abord été produits, à une époque où le verre était un bien précieux, comme signe extérieur de richesse. Conçus pour éblouir et inspirer la crainte, ils attirent naturellement le photographe. Pour rendre précisément les couleurs, vous devrez exposer en contre-jour tout en ignorant l'obscurité environnante.

 **STABILISEZ L'APPAREIL PHOTO**
Les intérieurs de cathédrales sont plutôt faiblement éclairés. L'usage d'un trépied y étant interdit, vous devrez prendre appui sur les bancs, piliers ou chaires disponibles.

 **SÉLECTIONNEZ LA BONNE EXPOSITION**
Trouvez l'équilibre entre sous et surexposition. Déboucher les détails de la pierre de taille décolorera les vitraux. Mieux vaut faire son exposition sur l'ouverture.

**FAITES VOS RÉGLAGES**
Le flash étant généralement proscrit dans les lieux de culte, ce qui n'est pas plus mal pour vos photos, désactivez-le. Choisir une sensibilité moyenne vous permettra de capter des détails des motifs et des couleurs des vitraux.

 **ESSAYEZ DIFFÉRENTES TECHNIQUES**
Une vue spectaculaire en contre-plongée exploite les parallèles convergentes. Si vous n'êtes pas friand de cet effet, essayez de prendre des détails des vitraux ou servez-vous d'un grand-angle pour exprimer la grâce de ces espaces.

**POUR CETTE PHOTO**
Placé de l'autre côté de la cathédrale, j'ai choisi la plus longue focale de mon zoom pour cadrer serré et éviter ainsi une trop forte contre-plongée. J'ai sélectionné une sensibilité moyenne pour concilier temps de pose et qualité.

**MODE DE L'APPAREIL**

 Exposition automatique

**RÉGLAGE DU ZOOM**

 Téléobjectif

**SENSIBILITÉ ISO**

 Moyenne

**FLASH**

 Désactivé

**5 DONNEZ DU SENS AU LIEU**
Placez le vitrail en situation et explorez les effets de variation de l'équilibre entre l'ouverture et l'espace intérieur.

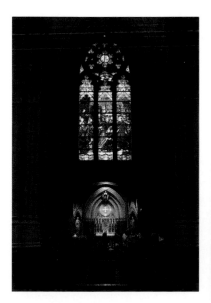

# Fontaines urbaines

En ville, les fontaines des squares sont des œuvres d'art qui attirent l'attention et focalisent l'activité. L'une des premières décisions du photographe est de s'intéresser à l'objet ou à ce qu'il y a autour en essayant de le placer dans son contexte. L'approche la plus simple est de se concentrer sur la fontaine en tant qu'entité architecturale : les détails de la statuaire et les jets d'eau sont plus qu'un simple plaisir de l'œil.

**PHOTOS AU CRÉPUSCULE**

Bon nombre de fontaines sont illuminées le soir. Attendez la tombée de la nuit, quand les lumières commencent à s'allumer. Elles vous offriront alors, tout comme le ciel parfois, des couleurs chaudes. De longues poses donnent un aspect laiteux à l'eau.

## 1 OBSERVEZ LA TEXTURE DE L'EAU

La plupart des fontaines proposent différentes sortes de jeux d'eau – des jets rapides à la vaporisation légère. Faites quelques clichés tests pour déterminer la texture d'eau qui vous séduit le mieux.

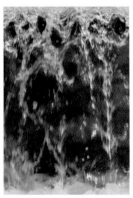

## 2 PROTÉGEZ VOTRE APPAREIL

Ne vous placez pas face au vent pour éviter que les gouttelettes d'eau endommagent votre appareil photo. Dos au soleil, vous pouvez percevoir un petit arc-en-ciel.

## 3 SAISISSEZ LE CARACTÈRE

Les utilisant comme perchoirs ou comme pataugeoires, les pigeons et autres oiseaux maculent les fontaines de leurs déjections. Ils leur sont intimement liés.

## 4 INCLUEZ LE DÉCOR

Déplacez-vous autour de la fontaine pour chercher une composition qui combine l'eau, la statuaire et le décor. Choisissez un grand-angle pour inclure à coup sûr l'environnement.

J'ai choisi la plus longue focale de mon zoom pour que l'arrière-plan ne soit pas net. J'ai travaillé au $1/320$ de seconde pour saisir la bonne quantité de mouvement dans l'eau. J'ai également utilisé le flash pour déboucher les ombres.

### MODE DE L'APPAREIL
Exposition automatique

### RÉGLAGE DU ZOOM
Téléobjectif à standard

### SENSIBILITÉ ISO
Moyenne à faible

### FLASH
Activé

## 5 DÉCIDEZ D'UN EFFET
Utilisez de longues poses – $1/30$ de seconde par exemple – pour donner un effet laiteux à l'eau et de très courtes pour lui conférer un aspect gelé.

# Vie d'un pont

Partout dans le monde, les ponts canalisent une bonne part de la vie environnante. Qu'ils datent du Moyen Âge ou qu'ils soient modernes, en pierre ou métalliques, suspendus ou à encorbellement, les ponts ont un vaste potentiel photographique. Commencez à prendre des photos de la structure dès qu'elle est visible. Ces études de ponts à distance vous aideront à explorer leurs nombreuses caractéristiques et vous donneront des idées de clichés de qualité.

Commencez à photographier le pont dès qu'il est à portée de vue – même si vous vous déplacez en bus. La séquence d'images peut composer une chronique servant de support à un carnet de voyage ou un site Web.

## 1 APPROCHEZ-VOUS DU PONT

Le meilleur moyen de découvrir un pont est de le passer à pied. Dans certains pays, les ponts revêtent un caractère militaire et il est interdit de les photographier. Veillez-y.

## 2 PENSEZ AU CONTEXTE

Placez le pont dans son contexte, dans son décor, en montrant la ville ou d'autres éléments. Exploitez des détails comme des poutres et des haubans au lieu de tenter de les esquiver. Ils ne sont pas photogéniques mais font partie de la structure.

## 3 MONTREZ LA VIE DU PONT

Une autre manière consiste à montrer la vie sur le pont. Les piétons et les voitures qui l'empruntent lui confèrent autant de personnalité que sa construction et sa situation.

## POUR CETTE PHOTO

J'ai choisi une focale presque standard et le mode Paysage pour avoir une bonne profondeur de champ. Pour éviter que la tour paraisse inclinée, j'ai essayé d'être le plus au niveau possible.

**MODE DE L'APPAREIL**

Paysage

**RÉGLAGE DU ZOOM**

Standard à grand-angle moyen

**SENSIBILITÉ ISO**

Moyenne

**FLASH**

Désactivé

### 4 TENEZ COMPTE DE LA VUE

Une vue au très grand-angle peut être efficace mais déformer les lignes du pont. Une vue moins large est plus naturelle.

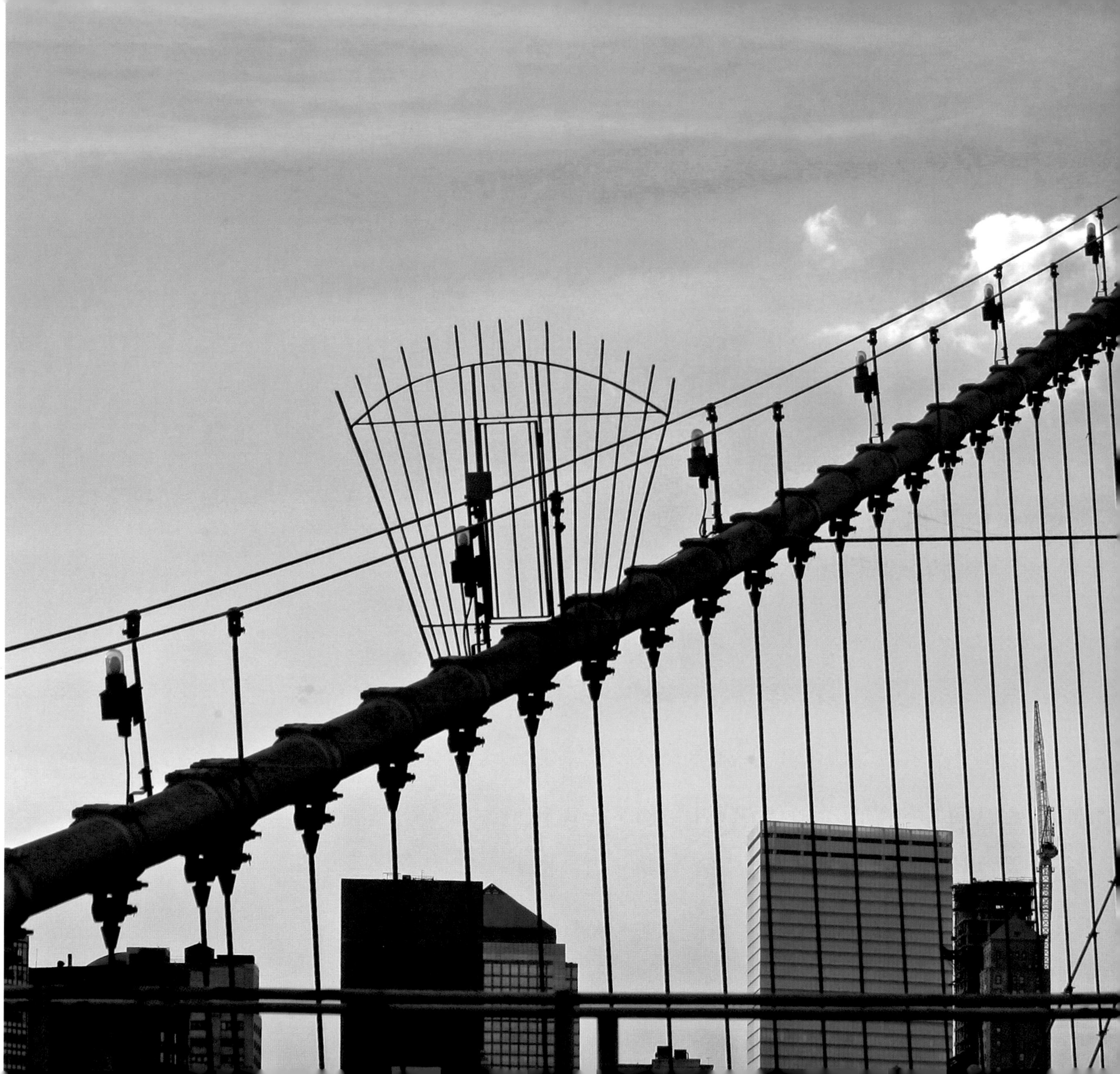

## PONT EN OMBRE CHINOISE

Sur cette photo, les poutres et haubans du pont de Brooklyn à New York ont servi à cadrer la ligne d'horizon de la cité. Recherchez des occasions semblables : elles sont légion dans un environnement urbain moderne.

1 Calculez l'exposition sur le ciel : cela a pour effet de rendre le premier plan très sombre.

2 Au besoin, sous-exposez légèrement pour les silhouettes les plus foncées.

3 Servez-vous de la position téléobjectif du zoom pour évacuer les éléments indésirables du premier plan et vous concentrer sur les formes graphiques et les contours.

# L'ancien et le moderne

La plupart des espaces urbains sont dominés par un mélange contrasté de styles architecturaux : des églises gothiques coincées entre des tours de bureaux et des immeubles du XIXe siècle partageant l'espace avec des gratte-ciel dernier cri.

Cette juxtaposition peut conduire à une aventure photographique originale. Recherchons le moyen de fusionner point de vue, couleur, tonalité et composition pour créer une image de contrastes et de superpositions.

## EXPLOREZ LES LIEUX

Faites le tour des zones intéressantes à la recherche de perspectives enthousiasmantes. Attention : en fonction de l'angle choisi, un emplacement *a priori* banal peut déboucher sur la photo du jour.

## RÉGLEZ L'APPAREIL PHOTO

Restez si possible sur une même focale de manière à vous concentrer sur le cadrage. Dans la plupart des cas, vous choisirez la position grand-angle ; c'est aussi la position par défaut des appareils se mettant en veille au bout de quelques minutes d'inactivité.

## ESSAYEZ DIFFÉRENTES ORIENTATIONS

Inclinez votre appareil selon un angle inhabituel, vertical ou horizontal. Le bon angle n'est pas toujours celui qui suit l'orientation formelle mais celui qui vous donnera le meilleur cliché.

## ESSAYEZ PLUSIEURS CADRAGES

L'approche évidente consiste ici à faire ressortir le contraste entre les ornements néogothiques de l'église et l'immeuble de verre moderne. Toutes ces photos ont leurs mérites mais souffrent d'un défaut. Photographiez jusqu'à ce que vous trouviez le cadrage qui vous comble de joie.

# Un horizon urbain remarquable

Bon nombre de grandes villes étant traversées par un cours d'eau ou situées en bord de mer, il suffit d'être sur l'eau pour en avoir un panorama dégagé. Comme il est donné à tout le monde de dénicher le même point de vue depuis un pont ou une rive opposée, vous devez faire preuve d'imagination pour vous distinguer et donner votre propre vision – une approche différente de la perspective. Ici, une balade sur le Staten Island ferry a permis de prendre une photo insolite de New York.

## POUR CETTE PHOTO

En me penchant, zoom au maximum, j'ai pu me concentrer sur des passagers. J'ai opté pour une sensibilité élevée et la priorité à l'ouverture pour garantir la netteté des images et utilisé une petite profondeur de champ pour flouter l'horizon.

### MODE DE L'APPAREIL

Priorité ouverture

### RÉGLAGE DU ZOOM

Téléobjectif

### SENSIBILITÉ ISO
Moyenne

### FLASH
Activé

---

## UNE APPROCHE ALTERNATIVE

En zoomant et en cadrant serré sur les immeubles, vous pouvez créer une image exploitable – un lieu commun – de cité. L'avantage de ce type de cliché est qu'il peut être réalisé sous n'importe quelle condition d'éclairage.

---

### 1. TENEZ-VOUS SOLIDEMENT

Prenez une posture large et détendue pour absorber le roulis du bateau. Si vous vous penchez par-dessus le bastingage, il se peut que vous transmettiez des vibrations à l'appareil photo. Pour plus de sécurité, servez-vous de la dragonne.

### 2. CORRIGEZ LES IMAGES ULTÉRIEUREMENT

Pas facile de regarder l'horizon quand le bateau tangue, même légèrement. Ne vous en faites pas pour des images un peu de guingois; vous pourrez facilement les corriger plus tard sur un PC. Photographiez et ne perdez pas votre temps en conjectures – les scènes changent très rapidement.

### 3. RECHERCHEZ DE L'INÉDIT

Choisissez d'inclure des gens ou d'autres éléments dans vos images. Si vous tentez de tout rattacher à une circonstance, le résultat sera visuellement bien plus riche.

# Les rues de la ville

Baignées d'un parfum local, les rues d'une ville sont souvent de pittoresques attractions touristiques. Elles regorgent aussi de sujets surprenants tels que la « littérature urbaine » en rapporte ou de scènes humainement intéressantes. Ayez toujours l'œil aux aguets et l'appareil prêt à photographier. Une personne ou un jeu de lumières suffisent à l'attrait de certains lieux. N'hésitez pas à attendre le moment idéal pour photographier.

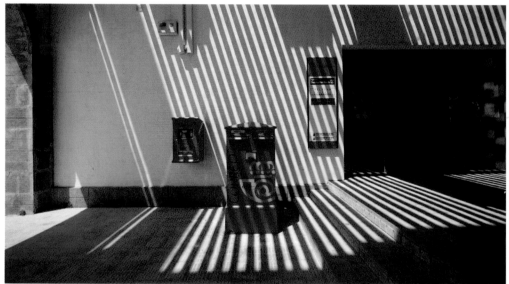

## OMBRES GRAPHIQUES

Vous pouvez passer chaque jour au même endroit sans jamais en noter le moindre attrait. Il suffit d'un étonnant motif d'ombres et de lumières pour qu'un jour vous teniez une solide composition graphique qui lui donne vie.

1. Essayez de photographier la scène sous différents angles.

2. Pour obtenir des résultats simples mais puissants, adoptez un cadrage carré.

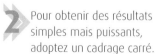
3. Pour une profondeur de champ maximale, passez en mode Paysage ou choisissez une ouverture plus petite.

## POINT FOCAL

Des marches dans une ruelle en pente guident l'œil vers un point focal brillant. Il faut toutefois contenter le regard par une forme ou une vie.

1. Servez-vous de la position grand angle pour saisir l'idée de guider vers le point focal de la scène.

2. Attendez de rencontrer une forme pour finaliser la scène, mais déclenchez au bon moment.

Conçus pour attirer l'attention, les panneaux et enseignes sont pain bénit pour la photo et d'intéressants compléments aux carnets de voyage. Ils constituent des repères visuels des lieux visités.

**1** Vous pouvez utiliser toutes les focales du zoom si vous optez pour une vue plate des symboles.

**2** Faites des cadrages simples et laissez les panneaux s'exprimer par eux-mêmes.

**3** Pour mettre les qualités graphiques des panneaux en valeur, cadrez-les perpendiculairement à l'appareil photo

## PERSPECTIVE INSOLITE

Les miroirs de rétroviseurs de voiture ou de moto, généralement montés sur un cadre moulé, offrent des perspectives de prise de vue inhabituelles.

**1** En calculant l'exposition à partir du reflet de la scène, tout ce qui entoure le rétroviseur est sombre.

**2** Faites le point sur l'image sur rétroviseur. Vous le ferez sur la scène à l'extérieur du miroir et mémoriserez la mise au point.

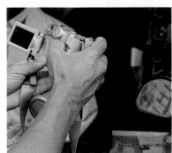

## VUES QUOTIDIENNES

En ville, il est possible de photographier presque chaque étape d'une promenade, de prendre des devantures de magasin, des changements d'éclairage, des enseignes, des graffitis, etc. Pris individuellement, chaque cliché peut ne pas être très parlant. En collection, l'impression qui s'en dégage est forte.

**1** Prenez des clichés de petite ou moyenne résolution pour préserver votre espace mémoire.

**2** Photographiez sous divers angles et différentes inclinaisons de l'appareil photo.

**3** Travaillez en mode Paysage ou Portrait pour plus de souplesse dans vos choix ultérieurs.

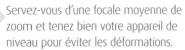

PORTES ET ENCADREMENTS

L'un des thèmes universels de la photographie est celui des portes et de leurs encadrements. Que vous les perceviez de manière symbolique ou purement décorative, ils ont un fort impact visuel. Pour varier, vous pourrez inclure des photos de portes partiellement ouvertes sur une rue ou un corridor.

**1** Servez-vous d'une focale moyenne de zoom et tenez bien votre appareil de niveau pour éviter les déformations.

**2** Incluez des passants ou des gens qui franchissent le seuil d'une porte pour donner un attrait visuel supplémentaire.

**3** Pour varier d'échelle, prenez des gros plans des éléments ou des détails des portes.

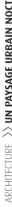

# Un paysage urbain nocturne

L'un des avantages clés de la prise de vue d'une ville de nuit tient à ce que vous pouvez travailler  pratiquement par tout type de temps. Nul besoin de ciel nuageux; vous pouvez photographier sous la pluie ou la neige, voire sous un léger brouillard. Cela vient de ce que vous vous focalisez sur l'interaction de masses foncées avec de petites pointes de couleur et de lumière qui rend superflu l'habituel besoin d'ombres originales et de dégradés de tons. Vous travaillez pleinement avec la lumière.

## POUR CE CLICHÉ

J'ai utilisé d'un long zoom pour cadrer un décor de lumières original tout en conservant un peu de ciel. J'ai délibérément sous-exposé légèrement pour être sûr que les ombres paraissent foncées sans être totalement noires, ce qui semblait être le cas.

### MODE DE L'APPAREIL
Tout mode d'exposition

### RÉGLAGE DU ZOOM
Zoom selon les besoins

### SENSIBILITÉ ISO
Moyenne

### FLASH
Désactivé

### DÉMARREZ AU CRÉPUSCULE

Préparez-vous avant l'obscurité de manière que vous puissiez voir ce que vous faites. Cela est également utile pour capter la lumière quand elle passe du trop clair au trop foncé. Recherchez un moyen de stabiliser votre appareil photo si vous n'avez pas de trépied.

### RECHERCHEZ DES BÂTIMENTS EXCEPTIONNELS

Certaines villes possèdent des bâtiments qui les caractérisent. Si vous souhaitez produire une scène de nuit pour une carte postale en guise de portrait de la ville, essayez d'intégrer ces éléments originaux.

### 3 FAITES DES ESSAIS DE FORMAT ET DE ZOOM

Quand débute le coucher du soleil, essayez différents réglages de zoom et de format. Changez aussi d'exposition. Notez la manière dont les mêmes lumières paraissent plus lumineuses à mesure que la nuit tombe. Dans le noir, l'appareil photo enregistre plus de couleurs que vous n'en percevez.

# Gratte-ciel

On reconnaît facilement les touristes peu habitués aux gratte-ciel par le fait qu'ils marchent le nez en l'air. Saisissez cette excitation visuelle initiale en cherchant de solides motifs, plutôt clairement symétriques, ainsi qu'une lumière spectaculaire et des textures variées. Travaillez au grand-angle pour exagérer la convergence des parallèles et donner une idée d'évanescence.

## 1 FAITES LE TOUR

Vous préférerez cadrer votre photo presque entièrement en tournant au pied de l'immeuble. Instinctivement, vous vous reculerez le plus possible, mais les meilleurs clichés sont pris d'assez près.

## 2 INSÉREZ DES PISTES VISUELLES

Pour susciter l'intérêt, recherchez des contrastes de forme et d'échelle entre les éléments architecturaux ou urbains, un panneau de signalisation, par exemple.

## 3 USEZ DE JUXTAPOSITIONS

Une composition où contrastent immeubles high-tech et feuillage léger des arbres donne un cliché captivant. Une prise de vue au grand-angle assure une netteté uniforme.

## 4 SURMONTEZ LES PROBLÈMES D'EXPOSITION

L'équilibre de l'exposition entre le ciel – qui assombrit les arbres – et les feuilles – qui décolorent le bleu du ciel – peut se révéler délicat. Essayez différents angles ou revenez à un autre moment de la journée. La solution adoptée ici a été de changer d'angle et de se servir du flash pour éclairer le feuillage par le dessous.

## POUR CETTE PHOTO

J'ai choisi une position très grand-angle et sélectionné la qualité d'image la plus élevée avec une sensibilité faible. Le flash était activé dans le but d'éclairer le feuillage mais pas assez puissant pour les feuilles en périphérie du cadre.

### MODE DE L'APPAREIL

 Paysage

### RÉGLAGE DU ZOOM

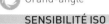 Grand-angle

### SENSIBILITÉ ISO

 Faible à moyenne

### FLASH

 Activé

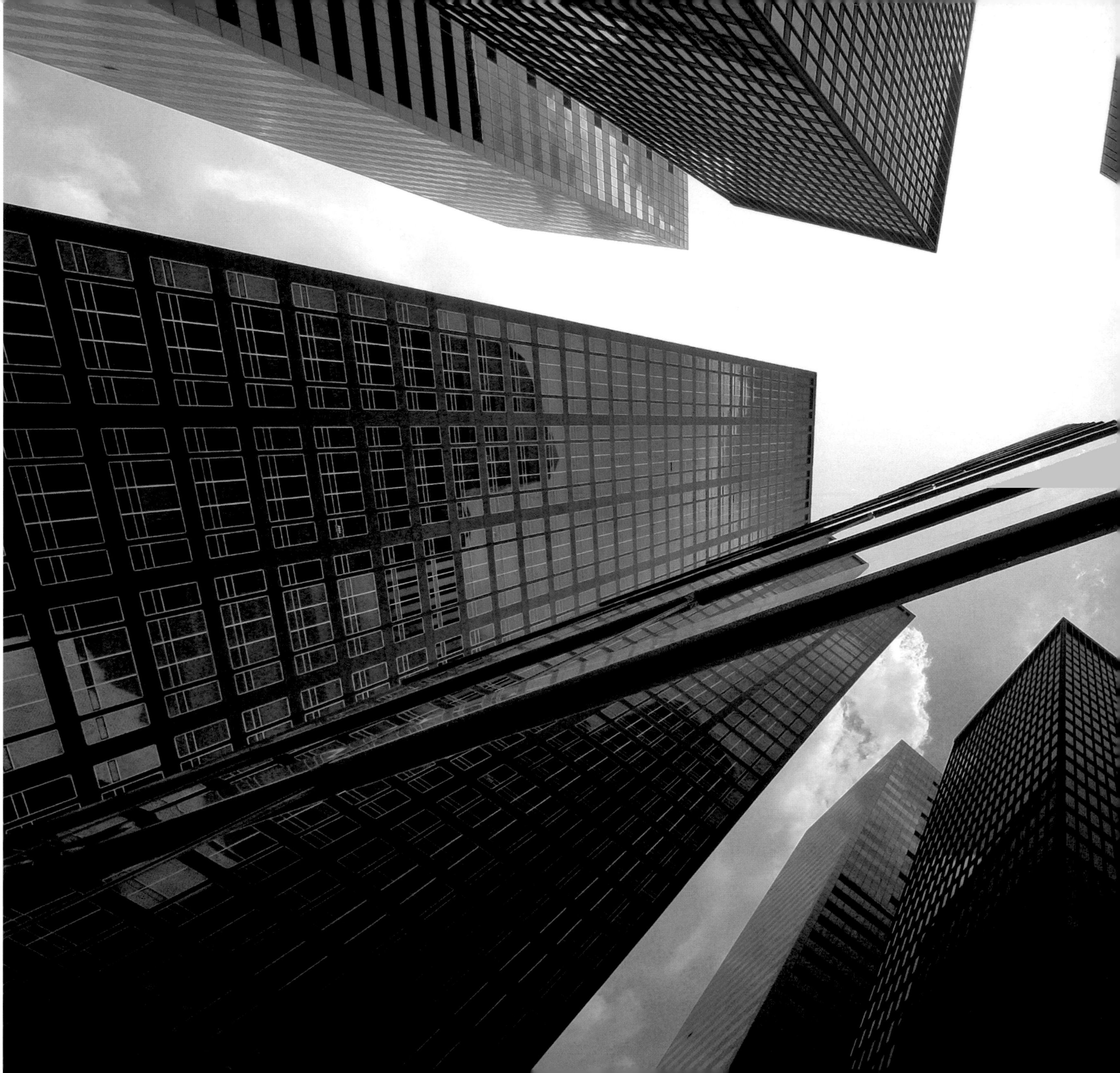

Des milliers de personnes passent quotidiennement au pied de ces immeubles dans le quartier de Wall Street à New York, mais bien peu apprécient le spectacle des formes et des lumières. Cela ne prend que peu de temps pour lever la tête et goûter la symétrie des reflets.

**1** Travaillez de préférence au grand-angle pour obtenir une vue aussi large que possible.

**2** Placez-vous au plus près d'une vitre pour assurer une profondeur de champ maximale au reflet.

**3** Réglez-vous en qualité maximale pour des tons doux et purs ainsi que des couleurs étincelantes.

**4** En mode Priorité à l'ouverture, fermez au maximum pour une profondeur de champ idéale.

# Les reflets de la ville

Aussi photogéniques soient-ils, la plupart des édifices souffrent d'un excès de notoriété. Devant un gratte-ciel ou une cathédrale renommés, il est plus facile de s'en tenir aux lieux communs photographiques. Toutefois, vous prendrez plus de plaisir à découvrir des perspectives inhabituelles et percevrez plus que le photographe moyen si votre recherche est motivée : en cherchant un nouvel angle à ce que vous pensez connaître le mieux, vous amplifierez la portée de votre photographie.

**CHERCHEZ DES REFLETS**

Au lieu de regarder les immeubles, concentrez-vous sur les surfaces qui reflètent l'architecture environnante, comme le capot d'une voiture, une flaque ou les vitres d'un immeuble.

**CHERCHEZ DES REFLETS**
Au lieu de regarder les immeubles, concentrez-vous sur les surfaces qui reflètent l'architecture environnante, comme le capot d'une voiture.

**2 VARIEZ LES VUES**
Créez d'intéressantes déformations des lignes d'un immeuble en changeant l'angle de l'appareil photo.

**3 RECHERCHEZ UNE TRAJECTOIRE VISUELLE**
Une surface noire absorbant une grande quantité de la lumière, elle assombrit le ciel réfléchi et facilite le calcul de la bonne exposition. Les courbes de la voiture guident l'œil vers la tour du fond.

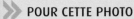

## POUR CETTE PHOTO

Pour accentuer la profondeur de champ, j'ai choisi le mode Paysage et utilisé la position grand-angle. Une sensibilité faible a garanti la qualité optimale et j'ai exploité la voiture comme support.

### MODE DE L'APPAREIL
Paysage

### RÉGLAGE DU ZOOM
Grand-angle maximal

### SENSIBILITÉ ISO
Faible à moyenne

### FLASH
Désactivé

## 4 ESSAYEZ DIFFÉRENTES POSITIONS

Bien qu'un minime changement de position puisse faire, au final, une énorme différence, prenez le temps de faire des essais.

# La ville la nuit

À la tombée de la nuit, avec l'illumination des immeubles et des enseignes se conjuguant avec les phares des voitures, les centres de bon nombre de grandes villes se muent en de gigantesques théâtres de lumières pour créer un carnaval de couleurs bigarrées.

Photographier une scène comprenant de vastes zones sombres ponctuellement éclairées par des sources très brillantes requiert une bonne pratique. Toutefois, l'astuce de base pour saisir l'énergie et l'excitation d'une scène urbaine de nuit consiste à y inclure de la vie

### 1 PRENEZ VOTRE TEMPS

Une fois la nuit tombée, les conditions d'éclairage ne changent plus pendant des heures. Ce qui vous laisse tout le loisir de chercher soigneusement un endroit d'où photographier qui associe le mouvement des gens et des voitures avec une vue pertinente sur les lumières.

### 2 EXPLOREZ LES RÉGLAGES DE L'APPAREIL

Si votre appareil photo le permet, réglez-le sur le mode Scène de nuit ; sinon, désactivez le flash et saisissez la scène en haute sensibilité.

### 3 SAISISSEZ LE MOUVEMENT

Le défaut des poses longues – le flou du mouvement – peut jouer en votre faveur. Les traînées de lumière des voitures expriment intensité et énergie, mais il vous faudra un trépied.

### 4 TROUVEZ DES REFLETS

L'omniprésence du verre dans l'architecture moderne signifie que le paysage urbain peut se refléter dans une myriade de vitres. Ce qui crée un jeu de lumières original que vous pouvez inclure dans vos clichés.

### 5 SERVEZ-VOUS DU FLASH

L'usage du trépied, conjugué notamment avec celui du flash, vous offre la possibilité d'associer netteté et flou du mouvement. L'un est gelé à l'arrière-plan et un autre est flou. Choisissez une pose longue ($1/8$ de seconde) et activez le flash, puis essayez différents temps de pose.

# Scène de rue en noir et blanc

La couleur dans une scène – en particulier s'il y a une multitude de teintes différentes – peut dissimuler autant qu'elle révèle. Cela est plus criant quand l'orgie de couleurs se réduit comme ici à des nuances de gris.

En revanche, cela révèle des motifs de marches, des textures de briques et une calligraphie contrastée. Apprenez à « voir » en noir et blanc, mais, une fois que vous y aurez pris goût, vous ne pourrez plus vous en passer.

## 1 VOYEZ AU-DELÀ DES COULEURS

Cette scène de rue est très colorée, mais s'y mêlent de puissants motifs et des grappes de lignes qui se prêtent au noir et blanc.

## 2 IDENTIFIEZ CE QUI CONVIENT

L'expérience guidera votre choix de ce qui doit être monochrome. Ici, la première image présente de puissants motifs mais ne tire pas parti de la couleur. La suivante s'appuie sur la couleur pour séparer ses éléments. Mais la troisième fonctionnerait aussi bien en noir et blanc qu'en couleurs.

## 3 ÉMARGEZ POUR AFFIRMER L'EFFET

Rogner une image pour en éliminer les éléments périphériques peut être efficace pour resserrer le cadrage. Vous pouvez ainsi favoriser un aspect du cliché. Rien à voir avec un zoom avant.

## 4 SÉLECTIONNEZ LE MODE N&B

De nombreux appareils numériques disposent d'un réglage qui leur permet de travailler comme avec un film noir et blanc. Si ce n'est pas le cas du vôtre, vous pouvez toujours convertir vos images sur ordinateur ou les imprimer en noir et blanc.

# Paysages urbains en voiture

La plupart d'entre nous passent une bonne partie de leur vie en voiture. En revanche, bien peu en tirent parti pour prendre des photos. Si vous êtes passager, vous pouvez admirer le paysage et en profiter pour faire de jolies images. Ayez toujours votre appareil prêt à déclencher : les occasions sont fugaces. À mesure que vous prendrez de l'assurance, vous saurez les repérer à distance et être fin prêt à les saisir opportunément.

## POUR CETTE PHOTO

Zoom au minimum, l'angle de vue était tout de même insuffisant et j'ai dû incliner l'appareil pour avoir plus d'immeubles et de routes dans le cadre. Pour réduire les risques de bougé, j'ai choisi une sensibilité élevée et la pose la plus courte.

**MODE DE L'APPAREIL**

Sport

**RÉGLAGE DU ZOOM**

Grand-angle

**SENSIBILITÉ ISO**

Élevée

**FLASH**

Désactivé

### 1 APPROCHEZ-VOUS DU PARE-BRISE

Par souci de qualité, mieux vaut placer votre objectif au plus près du pare-brise. Mais ne prenez aucun risque : ne débouclez votre ceinture de sécurité qu'à l'arrêt.

### 2 ESSAYEZ DIFFÉRENTES APPROCHES

Pour être en prise directe avec votre sujet, abaissez la vitre latérale. Vous pouvez aussi vous servir de l'habitacle de la voiture comme d'un cadre.

### 3 SAISISSEZ LES OCCASIONS

Voyager en voiture vous offre de nombreuses perspectives intéressantes, inaccessibles à pied, notamment certains tunnels et routes interdits aux piétons. L'impériale des bus vous assure une vue plus dominante.

# Un paysage urbain

Des perspectives inventives sont souvent exagérées et bien peu sont aussi extrêmes et efficaces que des vues en hauteur. Saisir d'en haut la vie de la rue, les toits ou les champs vous donne des images complètement différentes de celles prises au ras du sol. Parce que vous êtes plus éloigné que de coutume, l'accent doit être mis sur la composition : lignes, motifs, textures et forme. Nul besoin de technique poussée – observez les yeux ouverts.

## PHOTOS AÉRIENNES

Quand vous prenez l'avion, essayez de vous placer près d'un hublot soit à l'avant de l'aile, soit loin derrière. Vous pouvez ainsi vous détendre pendant le vol en réalisant de délicieuses photos aériennes. Choisissez un grand-angle ou une focale normale et une sensibilité élevée pour obtenir les clichés les plus nets.

### 1 NE PRENEZ PAS DE RISQUE
Depuis certains points de vue tels que des chemins de ronde de château ou de tour, vous devez vous pencher pour prendre votre photo. Ne risquez pas votre vie et veillez à harnacher votre appareil photo.

### 2 OBSERVEZ À TRAVERS LE CHAOS
Des vues panoramiques de toits donnent souvent une image chaotique. Recherchez des motifs ou des lignes de rues qui raccrochent l'image. Ou bien zoomez sur des détails tels que les trames de tuiles ou le contraste entre fenêtres et revêtements de briques.

### 3 RECHERCHEZ L'INSOLITE
Ne vous contentez pas de photos anticipées – creusez-vous un peu. Il vous faudra souvent attendre la bonne prise, comme pour ces piétons formant un motif original.

### 4 CRÉEZ UNE TRAJECTOIRE
Recherchez des immeubles qui ajoutent une structure ou une direction à votre photo. Comme ici, les dômes bleus du premier plan qui guident l'œil en zigzag vers l'horizon de la ville.

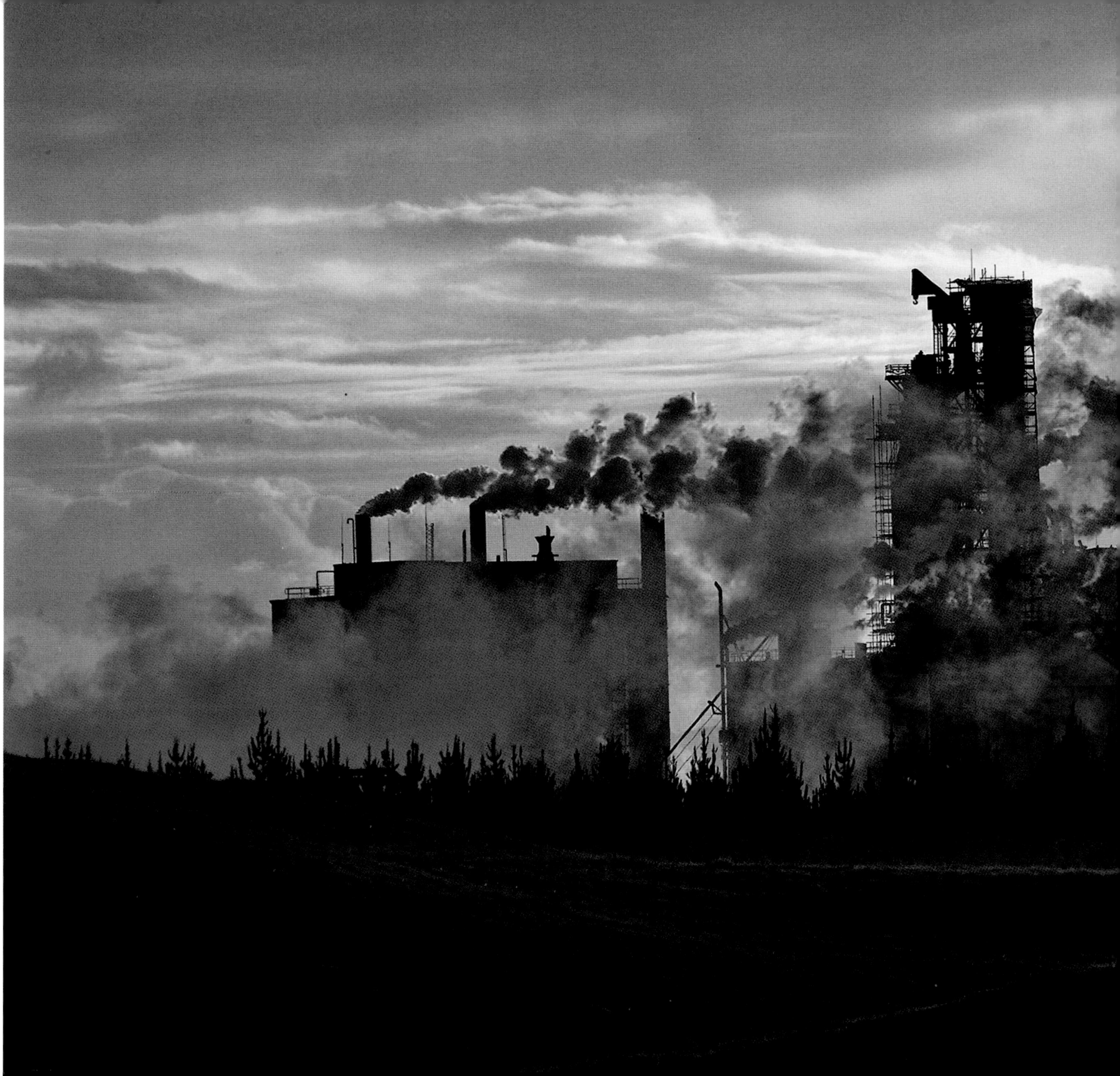

## SÉDUCTION INDUSTRIELLE

Vous pouvez passer chaque jour devant un site industriel comme ce moulin à papier sans jamais lui trouver le moindre intérêt photogénique. Pourtant, le soleil, des nuages et de la fumée peuvent parfois contribuer à créer une étonnante composition.

**1** Observez des scènes familières et tentez d'imaginer ce qui pourrait les rendre photogéniques.

**2** Pour avoir la meilleure lumière, photographiez le matin ou le soir quand le soleil est bas.

**3** Il est peu probable que vous puissiez vous approcher. Vous devez donc travailler en position téléobjectif.

# Architecture

La ville offre un tel éventail de formes, de couleurs et de tons qu'il serait possible pour un photographe de se spécialiser dans ce domaine sans jamais manquer de sujets. Des thèmes secondaires tels que les textures, des styles régionaux ou des éclairages peuvent constituer un flot continu d'images. L'architecture est un domaine si vaste que vous pouvez y expérimenter toute une gamme de techniques photographiques.

**LIENS INTÉRESSANTS**
Pour agrémenter un portrait d'immeubles, introduisez entre plusieurs d'entre eux des corridors et autres éléments architecturaux.

**ÉCLAIRAGE MIXTE**
La nuit, les lumières d'immeubles créent de spectaculaires combinaisons de formes et de couleurs. Essayez d'exploiter la juxtaposition des éclairages naturel et artificiel.

**CADRAGE OBJECTIF**
Représentez des styles de décoration régionaux par une photo simple : essayez de cadrer le sujet au carré

### ÉTABLIR LE CONTEXTE
Quand vous visitez des lieux importants, commencez vos prises de vue dès que vous approchez du site de manière à vous doter de clichés qui situent les édifices dans leur contexte.

## SILHOUETTES AU COUCHANT
Des structures à poutrelles telles que celles des ponts ou des tours contrastent parfaitement avec de puissants aplats de couleur. Il n'est pas toujours utile de déboucher les ombres.

### EFFETS DE MIROIR
Quand vous photographiez des immeubles au bord de l'eau, cadrez de manière à accentuer l'effet de symétrie, en particulier si l'eau est limpide et calme.

## PUISSANCE DES MOTIFS
Tout environnement urbain peut offrir des motifs
répétitifs de formes simples. Créez des images
graphiquement fortes en les isolant à la prise de vue.

## ALTERNATIVE
Pour réaliser un cliché insolite d'immeuble, recherchez des
contrastes originaux. Comme ici les délicates fleurs de cerisier
mettant en valeur la géométrie de la charpente rouge du temple.

## INTÉRIEURS SPACIEUX

Certains intérieurs conviennent mieux à des photos prises au grand-angle. Vous pouvez aussi prendre une série de vues contiguës et les rassembler sur votre PC.

## INTÉRÊT VISUEL

Essayez de juxtaposer des immeubles modernes en les faisant se chevaucher pour créer un puzzle photographique et, partant, une image insolite.

## EXPLOITER LA LUMIÈRE NATURELLE

Prendre des photos sous un soleil lumineux peut être habile, mais vous pouvez en exploiter les effets. Ici, les ombres dures et la silhouette donnent de la profondeur et du contraste.

Événements

12345678

Il y a des grands et des petits événements, il y en a de formels et d'informels. Quels qu'en soient le type et l'échelle, de l'anniversaire d'un enfant à la rencontre sportive, vous y trouvez toujours un appareil photo. La photographie est au cœur de toute réunion et sa capacité à transcender l'aspect documentaire pour l'enchâsser et la garder en mémoire signifie que tous les moments clés de nos vies semblent encourager la présence d'un photographe. Vous verrez que pour réussir vos images, non seulement vous utiliserez tous les éléments de la photo tels que la couleur et la lumière, le cadrage et la pose, la mise au point et le zoom, mais vous devrez aussi envisager toutes les éventualités et être à même de relever des défis imprévus.

# Une explosion de couleurs

Des photos saisissant l'éblouissante beauté d'un feu d'artifice peuvent être remarquables, pour la même raison que ces effets spectaculaires sont plaisants à observer à l'œil nu. Dans l'obscurité de la nuit, toute salve lumineuse et colorée semble encore plus brillante. Choisissez une longue pose pour capter les trajectoires des feux d'artifice, ou une courte pour saisir l'exact moment de l'explosion.

L'une des difficultés habituelles de la photo de feu d'artifice est de réaliser des images montrant la fumée illuminée plutôt que l'explosion de lumières et de couleurs. Une longue pose – mais pas trop pour ne pas avoir de traînées lumineuses floues alors qu'une trop brève donnera des traînées courtes – déjouera le problème. Jouez sur le diaphragme pour contrôler l'exposition.

Pose courte      Pose longue

## 1 INSPECTEZ LES LIEUX

Avant le début du feu d'artifice, alors qu'il fait encore jour, faites une visite des lieux pour repérer les meilleurs points de vue. Ici, le lac offrait un arrière-plan prometteur.

## 2 FAITES VOS RÉGLAGES À L'AVANCE

Pour des poses relativement longues, il vous faudra un trépied. Préparez votre matériel avant la nuit tombée. Ici, j'ai placé l'appareil photo assez bas pour saisir les reflets du feu d'artifice sur le lac.

## 3 RÉGLEZ L'APPAREIL

Vous travaillerez dans l'obscurité ; il vous faudra donc une minitorche pour vous aider à faire vos réglages. Si possible, désactivez le flash et l'autofocus. Passez en mode Manuel.

## 4 FAITES DES ESSAIS AU TOUT DÉBUT DU SPECTACLE

En général, la qualité d'un feu d'artifice va crescendo. Exploitez les premiers tirs pour améliorer vos temps de pose et votre cadrage. Inclinez légèrement l'appareil et le trépied.

## POUR CETTE PHOTO

J'ai réglé le zoom sur la focale standard et choisi une sensibilité faible. J'ai débrayé l'autofocus, ouvert manuellement à f/5,6 pour une pose de $^1/_{15}$ de seconde. J'ai désactivé le flash.

### MODE DE L'APPAREIL

Manuel

### RÉGLAGE DU ZOOM

Standard

### SENSIBILITÉ ISO

Faible

### FLASH

Désactivé

## 5 DÉCLENCHEZ AU BON MOMENT

En fonction de votre appareil, vous devrez, pour saisir le meilleur effet, déclencher à l'ascension de la fusée ou au moment où elle explose.

# Moments tout tracés

Dans la plupart des cultures et des religions, il existe des cérémonies et des rites au cours desquels des enfants sont vêtus de costumes spéciaux et sont l'objet de toutes les attentions. De tels moments sont aussi importants pour le reste de la famille que pour les enfants concernés. Essayez de saisir la réunion comme un ensemble, montrant un gamin prenant part à un rituel partagé par sa famille, ses amis et ses camarades de classe. Cette approche est exigeante mais fournira un enregistrement complet et riche de l'événement.

## POUR CETTE PHOTO

Une sensibilité élevée m'a permis de saisir facilement le mouvement et j'ai opté pour un cadrage aussi large que possible en choisissant une position grand-angle. Le flash peut être utile si la lumière est faible, mais les résultats seront moins séduisants.

**MODE DE L'APPAREIL**

Sport

**RÉGLAGE DU ZOOM**

Grand-angle

**SENSIBILITÉ ISO**

Élevée

**FLASH**

Activé si nécessaire

### 1 TENEZ-VOUS PRÊT

Renseignez-vous avant sur la tenue de l'événement, de manière à pouvoir examiner la lumière, le placement des gens, etc. Tant que vous y êtes, essayez de vous présenter à un officiel et de vous assurer qu'il n'y a pas de contraintes de temps et de lieu pour photographier.

### 2 PRENEZ GARDE AUX AUTRES

Le jour venu, bien des gens essaieront de prendre des photos. Tenez-en compte tout en cherchant à être bien placé pour travailler selon vos souhaits.

### 3 CHERCHEZ LES PETITS DÉTAILS

Cherchez à raconter les moments d'émotion, de nervosité ou d'intimité.

### 4 PRENEZ DE LA HAUTEUR

Quand il y a foule, mieux vaut photographier en hauteur en tenant l'appareil les bras au-dessus de vous. Avec de jeunes enfants, cela accentue leur petite taille.

# Une fête d'enfants

En tant qu'adulte au milieu d'une fête d'enfants, il se peut que vous vous sentiez marginalisé. Tirez-en parti pour vous intéresser aux tout-petits et prendre des photos de purs moments de candeur. Gardez un œil sur le décor dans lequel les enfants évoluent et rappelez-vous qu'il y a des hauts et des bas dans l'intensité des jeux d'enfants : observez l'évolution de l'activité pour déclencher lorsqu'elle est à son comble.

**POUR CETTE PHOTO**

Souhaitant rester aussi discret que possible, j'ai réglé mon zoom en position téléobjectif, ce qui a, par ailleurs, aplati la perspective. Le temps étant légèrement couvert, j'ai choisi une sensibilité moyenne à élevée et je n'ai pas eu besoin du flash.

**MODE DE L'APPAREIL**

Programme

**RÉGLAGE DU ZOOM**

Téléobjectif

**SENSIBILITÉ ISO**

Moyenne

**FLASH**

Désactivé

### TENEZ COMPTE DES OPTIONS

Commencez par observer de loin le déroulement de la fête au lieu de vous précipiter dans le feu de l'action. Ici, cette tactique m'a permis de découvrir d'autres actions dignes d'intérêt avant de m'approcher.

### RAPPROCHEZ-VOUS DE L'ACTION

Mêlez-vous à l'action principale. Prenez des portraits de chaque enfant en essayant de capter des expressions amusantes, de même que des vues de groupe mettant en avant le plaisir de la fête.

### MODIFIEZ VOS RÉGLAGES

Faites vos réglages une fois que vous avez trouvé la position rapprochée qui vous convient – vous ne pourrez peut-être plus le faire dans le feu de l'action. Décidez également une bonne fois pour toutes d'une position de zoom et ne la changez que si la situation évolue.

### AU BESOIN, DÉPLACEZ LES OBJETS

La machine à bulles aura été une belle attraction. Toutefois, à l'endroit où elle était placée, le décor était plutôt terne. La déplacer près du château gonflable aura redonné envie de la photographier.

# Photo de mariage

Les couples mariés ont d'autant plus de plaisir à revoir les photos de leur mariage qu'elles expriment l'amour, la joie et l'enthousiasme. Les jeunes mariés sauront se prêter aux prises de vue de leurs invités. Cependant, pour éviter que la séance devienne une corvée à un moment de la cérémonie, travaillez avec attention et discrétion. Planifier la prise de vue vous aidera à prendre facilement les meilleurs clichés – mais dans la joie et la bonne humeur.

 **PLACEZ LE COUPLE**

Si vous avez préparé votre travail, vous aurez repéré les meilleurs endroits. De par ses courbes adoucies et ses variations de lumière, une arche peut, par exemple, servir de cadre aux mariés sur un fond neutre.

 **DANS LA JOIE**

Encouragez le couple à rester naturel et spontané. Faites-les rire, mais évitez de les prendre lorsqu'ils parlent pour ne pas vous retrouver avec des éléments du visage flous.

**PRENEZ DES VUES SPONTANÉES**

Photographiez le couple même s'il ne pose pas pour vous. Ce qui dans votre viseur ressemble initialement à un cadrage maladroit peut, bien plus qu'une photo posée, saisir spontanément la tendresse du couple.

 **BOUGEZ**

Ne restez pas au même endroit mais déplacez-vous tranquillement au gré de l'éclairage. Essayez aussi différentes perspectives comme en plongée depuis un pont, à travers les arbres ou à l'aide du grand-angle.

**ÉVITEZ LA DISTANCE**

D'infimes différences de position *a priori* naturelles peuvent, à y regarder de plus près, sembler étranges. Cela vient de ce que la distance entre les gens sur la photo paraît plus grande que dans la réalité. Demandez donc aux mariés de se rapprocher l'un de l'autre.

## POUR CETTE PHOTO

Une sensibilité faible à moyenne a garanti une bonne qualité d'image et j'ai réduit la saturation de couleur pour donner une représentation précise des tons chair. J'ai zoomé pour serrer sur les visages et utilisé le flash.

### MODE DE L'APPAREIL

Portrait

### RÉGLAGE DU ZOOM

Standard à téléobjectif

### SENSIBILITÉ ISO

Faible à moyenne

### FLASH

Activé

## 6 JOUEZ AVEC LA LUMIÈRE

Faites des essais avec l'éclairage ambiant. Une lumière solaire douce et tachetée produit un effet insolite et séduisant.

# L'esprit du carnaval

Des événements tels que les carnavals, les parades et les fêtes constituent des occasions infinies de faire des photos vivantes et très colorées. Si vous avez autour de vous des participants qui espèrent être photographiés, vous pouvez presque leur garantir poses originales et visages souriants. Afin de saisir l'esprit de telles festivités, mêlez-vous à l'action et photographiez. Vos images exploiteront l'idée de divertissement que traduit l'événement.

**POUR CETTE PHOTO**

J'ai positionné et laissé le zoom sur grand-angle. Malgré la luminosité, j'ai opté pour une sensibilité moyenne à élevée pour mieux saisir le mouvement. J'ai également réglé le flash en automatique pour, au besoin, déboucher les ombres.

**MODE DE L'APPAREIL**

Sport

**RÉGLAGE DU ZOOM**

Grand-angle

**SENSIBILITÉ ISO**

Élevée

**FLASH**

Automatique

## 1 IMMERGEZ-VOUS

Mêlez-vous directement à l'action et traversez la foule. Soyez à l'aise : la plupart des participants à une parade seront heureux de se faire prendre en photo. Souriez et tentez un contact avec votre sujet : en général, les gens vous souriront en retour. Si ce n'est pas le cas, circulez.

## 2 PRENEZ TOUT

Photographiez tout le monde : danseurs, musiciens et tout personnage haut en couleur. Vous pouvez aussi tenter plusieurs techniques, comme vous servir du flash pour déboucher l'ombre ou le désactiver. Pensez aussi à travailler en hauteur.

## 3 CHANGEZ DE POSITION

Pour varier, essayez de photographier en contre-plongée, ce qui permet de saisir le mouvement virevoltant des jupes des danseuses.

## 4 SAISISSEZ LA JOIE

Veillez à ce que l'idée d'amusement et de célébration se dégage de vos clichés. Tenez-vous près des gens qui s'amusent pour saisir leurs sourires. Utilisez un grand-angle et ne vous souciez pas du cadrage – le mouvement est plus important qu'une composition léchée.

Il existe de nombreuses parades comme la fiesta de Gràcia de Barcelone pendant laquelle des rues ou des quartiers de la ville se mesurent pour les décorations les plus belles, les plus colorées et les plus élaborées. Ces événements sont un don pour le photographe en voyage.

**1** Veillez à photographier les gens qui s'amusent ainsi que les décorations des rues.

**2** Servez-vous de toute la gamme des réglages de votre appareil et essayez des perspectives différentes.

**3** Utilisez l'écran de contrôle de votre appareil pour montrer vos photos aux autochtones. Certaines personnes vous guideront vers de bien meilleurs endroits.

# Une démonstration de rue

Vous pouvez vous sentir concerné par la cause de manifestants qui défilent dans la rue ou être un simple spectateur intéressé. Dans les deux cas, ne manquez pas cette occasion de faire la chronique d'une démonstration.

Les participants pourront exploiter vos clichés pour illustrer auprès des médias ou sur leurs sites Web les idées qu'ils soutiennent. À condition d'être sûrs d'obtenir des images couleur bien cadrées qui aident à promouvoir leur cause.

## 1 PLACEZ-VOUS

Au besoin, renseignez-vous sur le trajet de la manifestation. Mieux vaut se positionner au-dessus du cortège, mais rappelez-vous qu'il vous faudra un peu de temps pour rejoindre le pavé. Si vous vous trouvez sur le passage de la manifestation, mêlez-vous plutôt à la foule.

## 2 COMPRIMEZ LE CADRE

Choisissez une longue focale de zoom et photographiez de face. La compression spatiale donne une impression de nombre dans de petits groupes.

## 3 PHOTOGRAPHIEZ D'EN HAUT

Prenez des vues différentes de l'endroit et des manifestants en tenant votre appareil bien au-dessus de votre tête en position grand-angle. Choisissez une sensibilité moyenne à élevée pour vous assurer d'une profondeur de champ étendue.

## 4 MÊLEZ-VOUS À LA FOULE

Pour varier les vues, vous devez vous mêler à la foule, même si vous n'êtes pas concerné. Ce qui peut supposer un peu de préparation physique si vous devez marcher, vous arrêter, voire vous accroupir, puis courir pour remonter le cortège avant de recommencer.

# La magie de Noël

Les fêtes traditionnelles comme Diwali, Noël, le Nouvel An chinois ou Thanksgiving jouent un rôle important partout dans le monde. Hormis leur aspect culturel, ces événements créent des occasions infinies de photographies, notamment si vous avez des enfants. Vous pouvez saisir ces moments pour constituer un album qui ravira toute la famille, ou prendre des photos qui expriment l'étonnement et l'émerveillement des enfants.

**FLASH OU PAS FLASH ?**

La question de l'utilisation ou non du flash relève du cas par cas. Si l'atmosphère d'une scène peut être largement diminuée ou altérée par le flash, ne l'utilisez pas. Les illuminations de Noël, par exemple, ressortiront mieux dans une pièce peu éclairée et sans flash, mais il vous faudra travailler sur trépied pour obtenir des images nettes.

## 1 CHOISISSEZ UN ANGLE DE VUE

Quand vous photographiez des enfants, un infime changement de perspective peut faire la différence. Vue de la hauteur d'un adulte, l'image semble distante et impartialement observée.

## 2 MÊLEZ-VOUS À LA FÊTE

Baissez-vous pour interagir avec les enfants et créer des clichés spontanés. Rejoignez-les sous le sapin avec les cadeaux et aidez-les à ôter les emballages.

## 3 SOYEZ PATIENT

Certains enfants n'aiment pas être photographiés. Ne cherchez pas à les intégrer dans chaque prise. Commencez par un plan large, puis resserrez sur les détails. Plus vous prendrez de photos, moins les enfants se rendront compte que vous êtes en train d'en faire les vedettes de vos clichés.

J'ai choisi une focale de zoom modérément longue pour prendre les enfants sans risquer de les déranger. J'ai désactivé le flash et utilisé une sensibilité élevée pour m'assurer une finesse maximale.

### MODE DE L'APPAREIL
Portrait

### RÉGLAGE DU ZOOM
Téléobjectif moyen

### SENSIBILITÉ ISO
Élevée

### FLASH
Désactivé

## 4 DIRIGEZ LES ENFANTS
Pour faire un bon gros plan d'un enfant près du sapin, vous devez lui donner quelques directives. Demandez-lui, par exemple, d'accrocher des décorations.

# Fêtes du monde

Si vous vous rendez à l'étranger ou voyagez dans votre propre pays, essayez de ponctuer votre circuit de participations à des festivals. De même qu'il vous faudra stocker cartes mémoire et batteries de rechange, vous devrez inclure à vos préparatifs la connaissance des événements en question et, si possible, effectuer un repérage des meilleurs emplacements. De cette manière, vous saurez à quoi vous attendre et où se situera le meilleur de l'action.

## EXCÈS DE CARNAVAL

Les fêtes du Mardi gras sont connues pour leur extravagance, leur débauche d'énergie et leurs excès avant le carême. En tant que photographe, vous ferez, plus que tout autre, partie de l'événement. Photographiez librement et constamment; ceux qui ne souhaitent pas être photographiés seront peu nombreux et vous n'aurez pas le temps de corriger vos prises de vue.

**1** Tenez votre appareil photo au-dessus de votre tête pour survoler la foule et obtenir une vue générale.

**2** Photographiez aussi au niveau de la chaussée dans la mesure où une contre-plongée vous aide à mettre en valeur l'ardeur des danseurs.

**3** Utilisez un flash ou des vitesses d'obturation élevées pour figer le mouvement. Vous pouvez aussi poser plus longtemps pour obtenir des effets de filé.

## LUMIÈRE DANS L'OBSCURITÉ

Les fêtes nocturnes font un usage immodéré de la lumière – c'est souvent le symbole de la victoire du bien sur le mal. Un fond sombre vous permet d'écrire littéralement avec la lumière en posant longuement pour obtenir des traînées lumineuses. Les images ci-contre ont été prises à la fête des lumières de Diwali.

1. Servez-vous du flash et posez longuement pour combiner éléments nets et flou du mouvement.

2. Vérifiez vos prises initiales : vous devrez peut-être réduire votre temps d'exposition pour obtenir des noirs profonds.

3. Employez un petit trépied pour associer maniabilité et stabilité.

Certaines fêtes mettent quelques jours à se mettre en place, mais l'ambiance peut se détériorer en moins d'une heure. C'est le cas de la fête de la tomate de Buñol.

1. Si des boissons et de la nourriture sont lancées, protégez votre appareil photo avec une housse étanche.

2. Captez le débordement de la fête en vous plaçant dans le feu de l'action.

3. Prenez des vues générales de la manifestation ainsi que des portraits de fêtards.

FÊTES DU MONDE >> ÉVÉNEMENTS  **305**

## ACTION ET ANIMAUX

Les fêtes impliquant des chevaux – comme celles qui se tiennent au Tibet, en Mongolie et dans d'autres régions d'Asie centrale – associent avec brio culture locale et esprit sportif. Ces images ont été prises à la fête du cheval de Yushu au Tibet.

**1** Si vous êtes assez loin de l'action, servez-vous de la plus longue focale de zoom possible.

**2** Veillez à ce que le soleil soit latéral ou derrière vous quand vous assistez aux principaux événements.

**3** Les chevaux soulevant de la poussière, vous devez protéger votre appareil photo et replacer le bouchon de l'objectif quand vous ne l'utilisez pas.

Des fêtes de rue comme le Nouvel An chinois sont faciles à photographier car vous pouvez espérer y prendre part. Suivez les participants ou concentrez-vous sur les décorations et les bannières.

**1** Essayez des perspectives insolites en réalisant de fortes contre-plongées.

**2** Pour transmettre l'idée de mouvement, effectuez un panoramique pendant la pose.

## VÊTUS POUR IMPRESSIONNER

Difficile de se tromper avec des fêtes costumées telles que le carnaval de Venise : chacun veut se faire photographier et les costumes sont conçus pour être remarqués.

**1** Servez-vous du flash pour, le soir, mettre en valeur les qualités graphiques des costumes.

**2** Pensez à inclure l'environnement et la ville dans certains de vos clichés.

**3** Pour réaliser des portraits spectaculaires, rapprochez-vous des sujets – c'est l'une des occasions qui le permettent.

# Concerts intimistes

Si les stars du show-biz refusent le plus souvent de se laisser photographier pendant leurs spectacles, les artistes qui se produisent dans des arrière-salles de café n'y voient généralement pas d'objection et ils y sont même plutôt favorables. Si vous n'êtes pas un proche des musiciens, vous serez tout de même bien accueilli si vous leur promettez un CD de vos clichés qu'ils pourront exploiter pour leur future promotion.

**1 RESPECTEZ LE PUBLIC**
Dans un petit concert, vous pouvez vous approcher très près des artistes. Veillez à ne pas interférer avec leur spectacle. Soyez aussi discret que possible et ne bougez qu'entre les numéros.

**2 PRENEZ LA FOULE**
Pendant les concerts intimes, le spectacle est souvent dans la salle. Pour un reportage rondement mené de la soirée, pensez à circuler parmi les spectateurs et à les photographier, ou à prendre la scène depuis le fond de la salle.

**3 APPROCHEZ-VOUS**
Soyez aussi près que possible de la scène. Cela vous permettra de créer des portraits de chaque membre de la formation. Les artistes sont de riches sujets à photographier, et vos reportages peuvent même devenir des documents historiques pour les groupes qui connaîtront la gloire.

## ÉVITEZ D'UTILISER LE FLASH

**4** Non content de casser l'ambiance comme le montre l'image ci-après, le flash gêne aussi l'orchestre et le public. Maintenez plutôt votre appareil fermement et choisissez une pose assez longue.

# Art dramatique

Les spectacles présentent plusieurs défis pour le photographe. Les niveaux de lumière ne sont pas aussi élevés qu'il y paraît, mais les contrastes le sont tant que les couleurs peuvent en être saturées. Dans la plupart des cas, même muni d'une autorisation de photographier, vous ne pourrez utiliser ni trépie ni flash. Un zoom télé est la solution qui s'impose pour des gro plans, mais son ouverture maximale réduite peut augmenter le temps de pose et entraîner du même coup des risques de bougé

## 1 UNE VUE DÉGAGÉE

Recherchez un emplacement qui vous donne une vue directe sur la scène sans avoir à gêner les autres. À l'arrière de la salle, par exemple. Essayez de vous placer de manière centrale car la plupart des actions se déroulent au centre de la scène.

## 2 RÉGLEZ VOTRE APPAREIL

La seule chose importante à faire est de désactiver le flash. Choisissez une sensibilité élevée pour des vitesses d'obturation rapides et un zoom moyen à long.

## 3 STABILISEZ L'APPAREIL

Autant que faire se peut, maintenez l'appareil contre votre œil pour contribuer à le stabiliser. Si les têtes des spectateurs sont dans votre champ, levez votre appareil et servez-vous de l'écran de contrôle pour cadrer. Tendez la bandoulière pour accroître la stabilité.

## 4 PHOTOGRAPHIEZ LE SPECTACLE

Vos réglages effectués, focalisez-vous sur la prise de vue du spectacle. Suivez les artistes qui vous attirent ou optez pour une vue plus large de la scène. Vérifiez la qualité de vos clichés au début de la représentation pour ne rien rater pendant son déroulement.

# Le frisson de la course

Tout événement sportif impliquant un grand nombre de participants – une course, un marathon ou un triathlon – engendre une poussée d'adrénaline créant des atmosphères propices à la photographie. Il y a plusieurs façons d'approcher ce sujet : vous pouvez prendre la masse bigarrée des participants, les activités des équipes de supporters et d'entraîneurs, ou des portraits d'athlètes. De la sorte, ces événements vous permettent de pratiquer une vaste palette de techniques.

SAISIR LE MOUVEMENT

Si vous voulez figer le mouvement des coureurs, optez pour des vitesses d'obturation très rapides. Des poses un peu plus longues que la normale créeront un flou marqué. Si l'obturateur reste trop longtemps ouvert, on ne distinguera plus les participants.

## 1 ARRIVEZ TÔT
Si vous souhaitez être bien placé, rendez-vous sur les lieux de la manifestation bien avant son début. Profitez du temps d'attente pour faire des essais de cadrage.

## 2 ESSAYEZ DIFFÉRENTS RÉGLAGES
Les coureurs de tête vous donneront une indication sur le passage du peloton. Essayez plusieurs positions de zoom et calculs d'exposition sur un premier groupe pour être prêt au passage des suivants.

## 3 EXPLOREZ LA PROFONDEUR DE CHAMP
Pour des effets insolites, jouez sur la profondeur de champ. Essayez, par exemple, de vous focaliser sur un élément d'arrière-plan : cela suffit pour distinguer les coureurs.

## 4 EXPLOITEZ VOTRE EMPLACEMENT
Surplomber l'action vous permet de jouer sur des perspectives inhabituelles. Attention toutefois à ne pas trop vous pencher au-dessus des rambardes pour prendre vos photos.

## POUR CETTE PHOTO

Pour cadrer serré sur les coureurs, j'ai zoomé au maximum. La sensibilité a été réglée sur Faible, mais la journée étant ensoleillée, les poses étaient très brèves pour figer le mouvement.

### MODE DE L'APPAREIL

Programme

### RÉGLAGE DU ZOOM

Téléobjectif

### SENSIBILITÉ ISO

Faible

### FLASH

Désactivé

## 5 REMPLISSEZ LE CADRE

Transmettez l'idée de masse en cadrant sur les coureurs. Essayez, par exemple, de les prendre en train de s'échanger des regards.

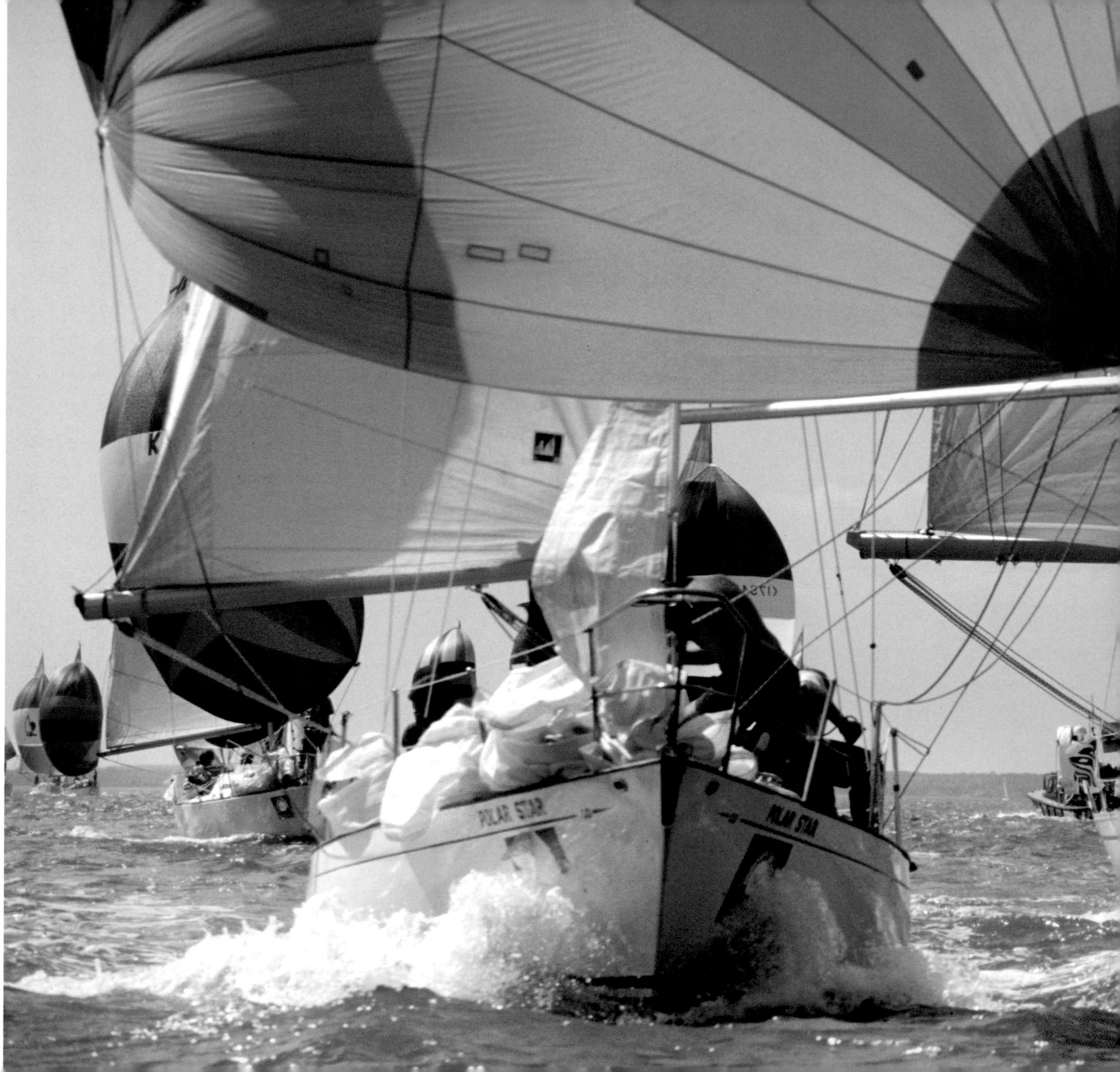
POLAR STAR
POLAR STAR

## PLEINES VOILES

La clé pour prendre une photo comme celle-ci tient en grande partie à l'accès et peu à la photographie. Quand vous pouvez embarquer sur un suiveur ou un yacht d'écurie, vous n'avez plus qu'à adopter une station stable et à mitrailler.

**1** Pour obtenir une compression spectaculaire des éléments de la scène, adoptez une longue focale.

**2** Utilisez une sensibilité moyenne pour permettre des poses très courtes.

**3** Protégez votre appareil photo contre les embruns en vous servant d'un sac étanche.

SURPL
Si poss
surplor
un ma>

## SUR LA LIGNE D'ARRIVÉE

Pour une perspective idéale lors de compétitions sportives scolaires, placez-vous juste derrière la ligne d'arrivée. Tentez un mouvement panoramique de l'appareil photo pour donner une idée de mouvement.

## PHOTO DE GROUPE

Pour la remise des prix, outre le portrait formel classique, saisissez l'exaltation partagée par votre sujet et ses collègues. Cela enrichit l'idée d'aboutissement et de célébration.

## UN ÉVÉNEMENT PAR L'ABSTRAIT

Lors d'une réunion sportive, tournez votre appareil vers la foule. La représentation colorée des ballons, des drapeaux ou des banderoles, peut créer des compositions abstraites.

## LE FRISSON DE LA COURSE
Quand vous photographiez une course cycliste, essayez de véhiculer l'idée de vitesse et de frisson de la compétition en posant longtemps afin de créer des traces zoomées colorées.

## À LA RENCONTRE DES VEDETTES
Les grandes villes accueillent souvent des premières de film et leur cortège de vedettes. Présentez-vous de bonne heure sur les lieux pour avoir une bonne place et servez-vous du flash pour contrebalancer la lumière ambiante.

## COUVERTURE PAR PROCURATION
Même si vous ne pouvez pas assister directement au match, vous pouvez encore en saisir l'esprit en prenant en ombres chinoises le public enthousiaste sur grand écran interposé.

Expression
artistique

1234567

**L'expression artistique** fait référence à une œuvre sans contrainte – sans lien avec les notions de propriété, de clientèle ou de conscience. Vous vous offrez le luxe d'être vous-même : vous faites de la photographie qui ne vise qu'à satisfaire votre propre curiosité visuelle, laissant votre imagination guidée par la lumière. Selon votre état d'esprit ou votre inclination, vous pouvez saisir la précision de l'éphémère ou les messages hybrides de la décadence urbaine, d'un jouet avec des effets optiques, ou créer des vies statiques, vous amuser d'un mouvement lumineux ou rechercher des motifs dans le chaos. Toutes les techniques de la photo sont à votre disposition. Utilisez du flou animé, des couleurs saturées et des formes fragmentées, créez des agencements qui vous inspirent ou travaillez avec ce que vous trouvez.

# Explorer l'art

Le défi consiste à équilibrer la vision d'une œuvre d'art en tant qu'image tout en véhiculant quelque chose de son esprit, telle que l'artiste l'a conçue. Parce qu'elles sont tridimensionnelles, la plupart des sculptures, par exemple, sont conçues pour être vues sous tous les angles et pour interagir avec leur environnement. Certaines invitent à s'en approcher et à les toucher – leur forme, leur matière et leur texture.

 **EXAMINEZ LA STATUE**
Quand vous vous approchez d'une sculpture pour la première fois, faites-en le tour pour observer la manière dont la lumière l'éclaire et repérer le meilleur angle. Choisissez ce sur quoi vous vous concentrerez : la forme dans son entier ou les textures.

 **CHOISISSEZ LE FOND**
Lors de l'examen de la statue, observez son lien avec son environnement. Certains décors peuvent interférer avec la forme de l'œuvre, d'autres, la compléter et en valoriser la forme.

 **PRENEZ LA BONNE LUMIÈRE**
Les sculptures en métal se photographient mieux par temps couvert pour éviter les reflets. Si vous devez travailler par temps ensoleillé, aidez-vous du flash pour déboucher les ombres et adoucir les contrastes.

 **ESSAYEZ DIFFÉRENTS CADRAGES**
Comme elles sont fixes, les sculptures sont des sujets idéaux pour apprendre à cadrer. Testez les effets de différentes perspectives, des réglages de zoom et manières de cadrer.

J'ai apporté de la couleur aux textures et projeté des ombres sur le sol en posant avec le flash activé. J'ai obtenu une perspective intimiste avec un zoom en léger grand-angle. Une faible sensibilité devait révéler les subtiles couleurs.

**MODE DE L'APPAREIL**

 Programme

**RÉGLAGE DU ZOOM**

 Grand-angle

**SENSIBILITÉ ISO**

 Faible

**FLASH**

 Activé

## 5 EXPLOITEZ LA LUMIÈRE

Servez-vous de la lumière pour aider à définir des formes ou éclairer les textures. De la lumière naturelle en plus ou un réflecteur peut aussi faire ressortir d'autres éléments de la statue tels que la couleur.

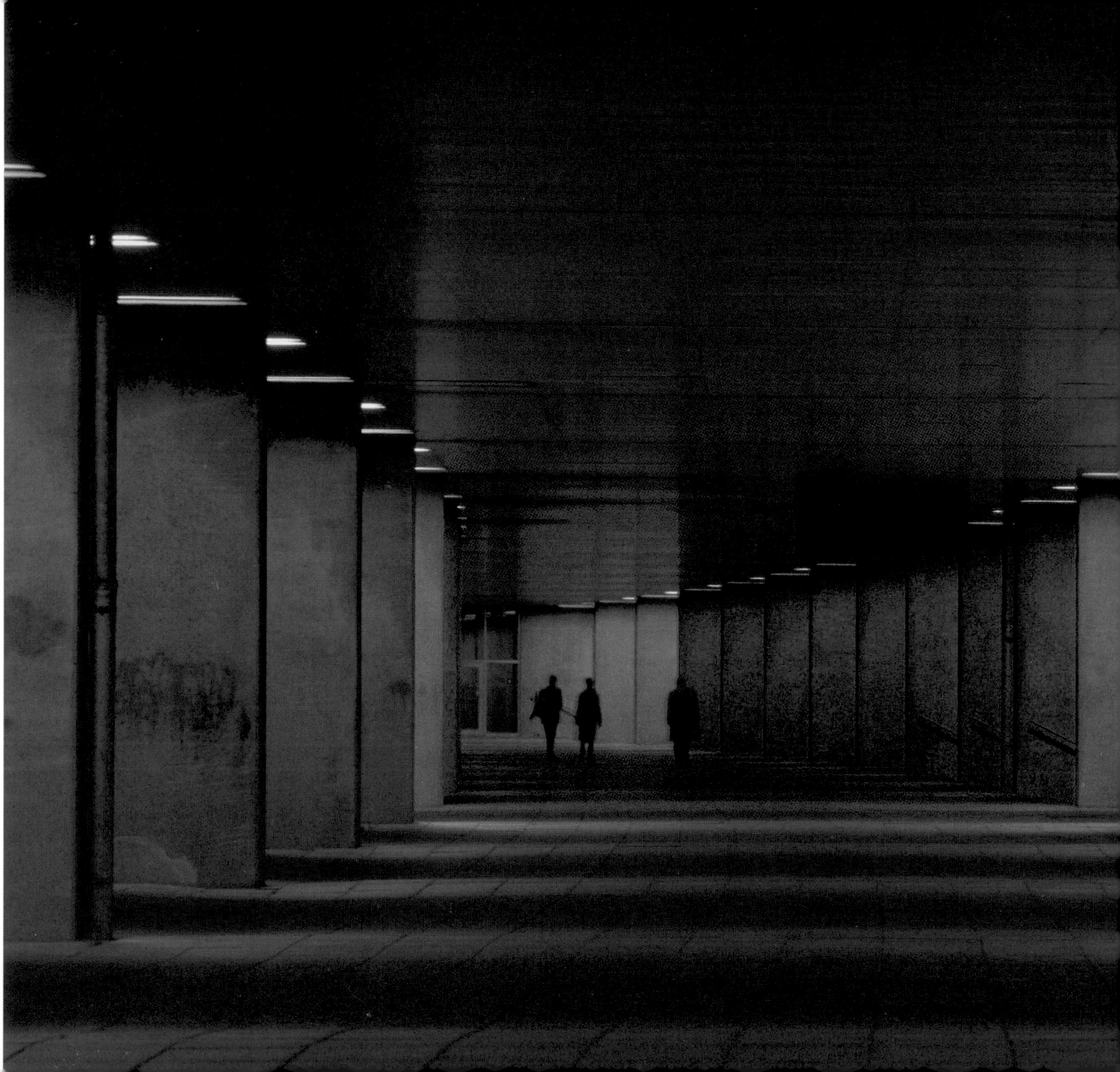

### LUMIÈRES ET COULEURS

Photographier dans un environnement haut en couleur tel que ce centre d'art avec ses lumières bigarrées peut être compliqué par la tentative de correction chromatique de l'appareil photo. Vérifiez vos images et, au besoin, débrayez ce réglage.

**1** Lors de la prise de vue d'œuvres très imposantes, intégrez des gens pour donner une idée de l'échelle.

**2** Essayez de cadrer « objectivement » pour présenter l'œuvre plutôt que la vision que vous en avez.

**3** Au besoin, vous corrigerez les couleurs plus tard, sur ordinateur.

# Netteté et flou

Avec leurs couleurs chatoyantes et leur accompagnement musical, les manèges de chevaux de bois sont une porte sensorielle vers un monde d'innocence et de rires. Conçus pour attirer l'œil, les manèges ne s'imposent que lorsqu'ils tournent. Compte tenu de leur mouvement cyclique, ils sont par ailleurs d'excellents sujets d'essais de pose pour vous aider à apprendre les effets de différents réglages.

 **PLACEZ-VOUS**
Tenez-vous près du manège pour vous faire une idée de sa vitesse et observer les divers chevaux de bois. Sélectionnez celui que vous voulez photographier et choisissez votre emplacement. Ici, le mieux était de se tenir sur l'un des côtés du manège éclairé par le soleil couchant.

 **FIGEZ L'ACTION**
Le mouvement du manège peut être figé si vous optez pour des vitesses d'obturation très rapides. Il peut aussi l'être aisément si vous vous placez de façon que les chevaux arrivent directement sur vous. Essayez les mêmes temps de pose sur différentes parties du parcours.

**MODIFIEZ VOS RÉGLAGES**
Choisissez la priorité à la vitesse de manière à contrôler directement les temps de pose. Si cette option n'est pas disponible, décalez les réglages programmés pour différentes vitesses d'obturation.

 **BOUGEZ AVEC LE COURANT**
Déclenchez quand le cheval que vous avez choisi se présente à vous. Peu importe si, pour commencer, vous ne prenez que sa tête ou ses pattes, vous aurez tout le loisir de le recadrer correctement. Bougez avec lui quand il repasse, de manière que certains éléments soient nets et d'autres flous.

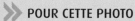

**POUR CETTE PHOTO**

Avec une pose au $\frac{1}{15}$ de seconde, j'ai effectué un panoramique pour suivre le mouvement du manège, ce qui m'a permis d'avoir un cheval net et le reste flou. J'ai fait varier la sensibilité pour obtenir les temps de pose requis.

**MODE DE L'APPAREIL**

Priorité à la vitesse

**RÉGLAGE DU ZOOM**

Selon les besoins

**SENSIBILITÉ ISO**

Selon les besoins

**FLASH**

Désactivé

## 5 ESSAYEZ DU FLOU

Quand vous optez pour des poses longues, vous pouvez ramener la présence des chevaux de bois à une série de couleurs abstraites.

# Traînées lumineuses de nuit

Tout le monde aime les fêtes foraines à l'ancienne avec leurs attractions et leurs lumières chamarrées. Toutefois, les circuits classiques comme ceux qui consistent à déambuler sur le champ de foire sont de moins en moins prisés, concurrencés par les jeux d'arcade. Beaucoup d'entre nous regrettent l'ambiance originale des fêtes foraines. Vous pouvez essayer de reproduire cette sensation par la photo, de même que les couleurs et l'enthousiasme qui y règnent.

## 1 COMMENCEZ PAR UNE POSE BRÈVE

La nuit, les fêtes foraines sont animées par des lumières tourbillonnantes. La manière la plus simple de photographier la foire est de choisir des temps de pose extrêmement brefs, ce qui donne une vue statique, mais de celles qui captivent du fait de la diversité des éclairages.

## 2 ESSAYEZ UN FLASH

Utiliser un flash avec des temps de pose relativement longs rendra vos images à la fois nettes et floues – ici, les fêtards figés et les traînées lumineuses. Vous pouvez faire apparaître des traînées lumineuses à partir d'éléments exposés en mode « flash sur le second rideau » lorsqu'il est disponible.

## 3 CHANGEZ DE TEMPS DE POSE

Pour des traînées plus longues, utilisez des poses moins brèves et un trépied. Ici, j'ai choisi 1 seconde (ci-contre) et 4 secondes (à droite).

# L'abstrait du quotidien

De la nourriture fraîche et colorée est toujours un plaisir pour l'œil, et les fruits et légumes proposés sous différentes formes et textures sur les étals de marché ne font pas exception. Vous serez tellement surpris par toutes ces incroyables harmonies chromatiques que vous ne saurez pas quoi prendre en photo. La meilleure approche consiste à prendre votre temps et à examiner fruits et légumes comme si vous en achetiez. En les jugeant comme des aliments appétissants plutôt que comme des sujets photographiques, leurs qualités photogéniques vous sauteront aux yeux.

Les étals de marché sont des endroits parfaits pour développer des thèmes abstraits – des objets agencés par couleur ou forme, par exemple. De tels arrangements créent des images évocatrices qui peuvent composer une série de clichés amusants. Essayez différents réglages de zoom : grand-angle pour les grandes masses et téléobjectif pour des gros plans abstraits.

## 1 SOYEZ POLI

Les produits sur étals sont placés de façon à attirer le chaland. Cette présentation vous facilite la prise de vue, mais veillez à ne pas gêner les commerçants ni leurs clients.

## 2 AFFINEZ LES RÉGLAGES

Si l'étal est couvert et s'il y a beaucoup de couleurs, préparez-vous à ajuster plus tard vos images sur ordinateur. Vous pouvez aussi exploiter la balance du blanc si votre appareil en est équipé.

## 3 PENSEZ À INCLURE DES MAINS

Vous pouvez rendre vos clichés moins abstraits en y incluant les mains des commerçants, ce qui produit un contraste avec le fruit comme avec le décor et l'échelle. La main peut servir aussi à créer une structure au sein de la composition.

J'ai réglé le zoom sur standard à grand-angle pour conférer une perspective naturelle. Une grande profondeur de champ n'était pas utile puisque tout était sur le même plan. Pour des images nettes, j'ai opté pour une sensibilité moyenne.

**MODE DE L'APPAREIL**

Portrait

**RÉGLAGE DU ZOOM**

Standard à grand-angle

**SENSIBILITÉ ISO**

Moyenne

**FLASH**

Désactivé

## DONNEZ UNE ORIENTATION

Si des piles de fruits et légumes sont indubitablement séduisantes, des cagettes d'aliments photographiées par le dessus composent des images originales par la répétition et la structure de mise en page.

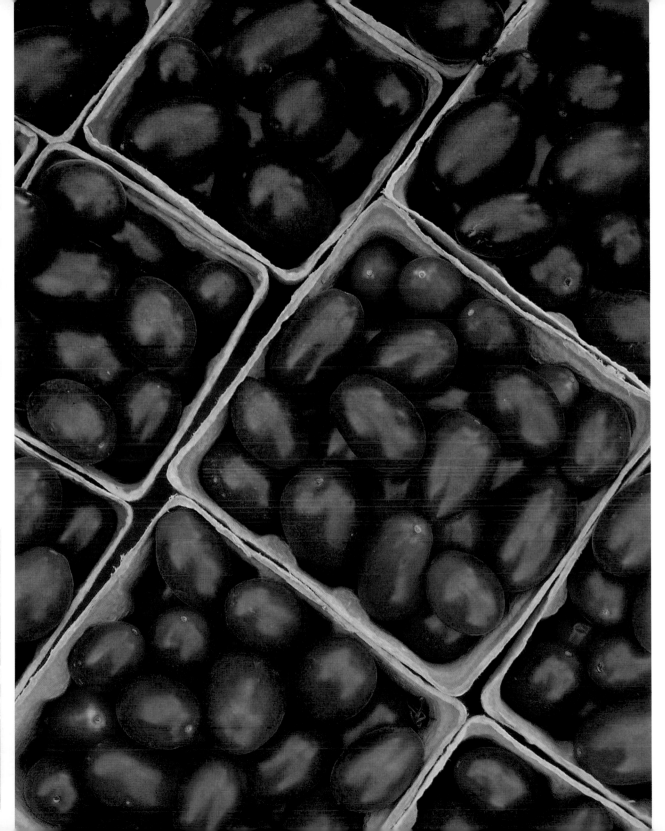

# Couleur et lumière

L'un des attraits de la photo vient de ce qu'elle vous permet de découvrir la beauté des endroits et des choses que vous tenez pour acquis – la route devant chez vous, par exemple, ou de simples objets autour de votre maison. Apprenez à observer les choses du quotidien avec des yeux différents. Avec une application attentive de la lumière, ce compotier en verre qui sert depuis des années peut se révéler un magistral acteur de la couleur.

 **CHERCHEZ UN SUJET**
Observez autour de votre maison les objets qui se prêtent à la photo. Si rien *a priori* n'attire votre œil, regardez une fois de plus, plus attentivement : le sens de cet exercice est de découvrir des qualités cachées aux objets usuels.

 **UTILISEZ UN TRÉPIED**
Une fois votre objet sélectionné, montez votre appareil photo sur un trépied pour garantir sa stabilité.

 **CHOISISSEZ VOS RÉGLAGES**
Lors d'une prise de vue en gros plan, mettez-vous en position macro et désactivez le flash. Sélectionnez la priorité à l'ouverture et fermez le plus possible pour obtenir la plus grande profondeur de champ.

 **SÉLECTIONNEZ L'ARRIÈRE-PLAN**
Faites en sorte que votre sujet ressorte sur un fond neutre ou quasi neutre. Essayez aussi avec des fonds colorés qui contrastent avec la couleur du sujet.

 **FAITES DES ESSAIS DE LUMIÈRE**
Recherchez un éclairage puissant tel qu'une lampe de bureau. Jouez sur la position de la lumière et de l'objet pour révéler des effets originaux que vous souhaiteriez introduire dans votre cliché.

## POUR CETTE PHOTO

J'ai réglé le zoom sur standard à téléobjectif modéré pour le gros plan. J'ai sélectionné le mode Paysage et l'ouverture minimale pour donner le maximum de profondeur de champ. Une faible sensibilité a garanti la meilleure qualité d'image.

 **MODE DE L'APPAREIL**

 Paysage

 **RÉGLAGE DU ZOOM**

 Standard

**SENSIBILITÉ ISO**

 Faible

**FLASH**

 Désactivé

## 6 DISPOSEZ LA LUMIÈRE

N'oubliez pas d'éclairer le fond au même titre que le sujet. Ici, j'ai fait en sorte qu'une ombre tombe de l'arrière du vase comme pour faire écho à sa forme.

# Reflets

Les peintres essaient depuis longtemps, avec plus ou moins de succès, de reproduire des reflets. Il s'agit d'images virtuelles qui ne peuvent être directement projetées sur une surface. De fait, elles sont difficiles à peindre. La photo, en revanche, est parfaitement adaptée à la reproduction de cet empilement de lumière, de couleur, d'espace et de distance. Par le biais de ce support, nous pouvons pleinement représenter les moindres détails d'une image réfléchie.

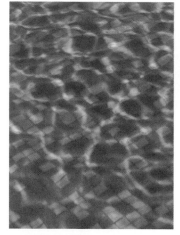 

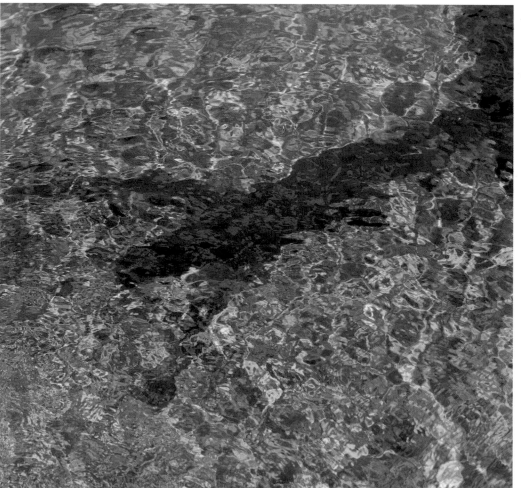

## OMBRE ET LUMIÈRE POMMELÉES

Une petite piscine est un véritable laboratoire d'effets à base de réflexions. La surface n'a pas toujours à être lisse comme du verre : le jeu de la lumière et de la transparence colorée est toujours intéressant.

**1** Obtenez les tons les plus doux en choisissant les réglages de qualité les plus élevés.

**2** Faites des poses courtes pour figer le mouvement de l'eau.

**3** Pour intensifier les couleurs, servez-vous d'un filtre polarisant, mais pensez qu'il peut supprimer certains reflets.

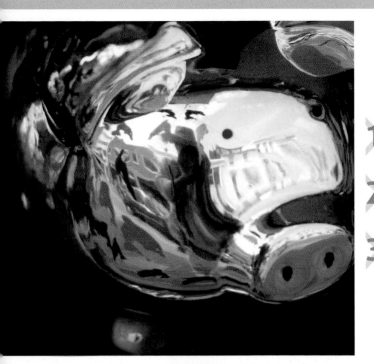

## VUE DÉFORMÉE

Les lignes fluides de ce jouet en métal produisent une vue abstraite de la rue au loin. Ce cliché concerne autant l'objet que l'image qu'il réfléchit.

**1** Travaillez en mode Paysage ou Priorité à la vitesse pour un maximum de profondeur de champ.

**2** Faites peu de changements de position pour le cadrage.

**3** Placez-vous à distance et zoomez pour ne pas vous refléter.

## LIGNES RYTHMIQUES

En incluant des objets courants et leurs reflets dans votre cliché, vous pouvez exploiter de fortes symétries pour créer de puissantes compositions.

**1** Placez l'appareil aussi près que vous le pouvez de la surface réfléchissante.

**2** Utilisez des contrastes de couleur et jouez sur la densité de la profondeur de champ.

**3** Faites des prises avec et sans flash pour observer ce qui convient le mieux.

## CHEMIN DE PLUIE

Les reflets peuvent apporter un certain éclat à une photo, y compris par temps couvert. Travaillez simplement avec la lumière disponible et placez-vous de manière à maximaliser sa réflexion.

**1** Mettez-vous en mode Paysage pour accroître la profondeur de champ.

**2** Si vous souhaitez améliorer les tons, réglez votre appareil pour augmenter le contraste.

**3** Réglez votre appareil pour augmenter la richesse chromatique.

## SILHOUETTE DANS UNE FLAQUE

Dans un environnement urbain, les flaques d'eau ne sont pas *a priori* très attirantes, mais si vous regardez attentivement, vous pouvez trouver que des textures, de la lumière et des reflets forment une composition originale.

**1** Servez-vous d'un grand-angle pour saisir le contexte et le reflet.

**2** Réglez l'appareil photo pour augmenter la brillance de couleur et, partant, la qualité de l'image.

**3** Pour obtenir les meilleurs effets de miroir, attendez que les ondulations de l'eau disparaissent.

## IMAGES MULTIPLES

Des ensembles de surfaces réfléchissantes proches les unes des autres segmenteront l'image réfléchie pour donner un effet remarquable.

**1** Zoomez au maximum pour serrer sur le reflet et éliminer ce qui l'entoure.

**2** De très petits changements de position peuvent faire la différence : cadrez lentement et attentivement.

## PUZZLE VISUEL

Les reflets sont des systèmes visuels multicouches complexes dont vos photos peuvent révéler des éléments intrigants.

**1** Pour ne laisser que peu d'indices visuels du site, cadrez serré.

**2** Ajoutez à la confusion visuelle en augmentant la profondeur de champ. Ce qui conduit à tout représenter sur le même plan.

## MIROIRS CONVEXES

Photographier des miroirs convexes double votre plaisir. Ils déforment le monde en donnant des perspectives insolites. Les miroirs convexes ont un champ de réflexion plus large que les miroirs plats.

**1** Photographiez latéralement pour éviter d'apparaître.

**2** Servez-vous d'un grand-angle pour embrasser la scène le plus largement possible.

**3** Essayez d'inclure les reflets et les éléments environnants.

## REFLETS DE DESIGN

L'usage répandu de surfaces lisses – brillantes ou mates – dans les cuisines et les bars est un cadeau pour les photographes.

**1** Placez votre appareil photo sur la surface pour obtenir les meilleurs résultats.

**2** Choisissez le mode Paysage et un grand-angle pour un maximum de profondeur de champ.

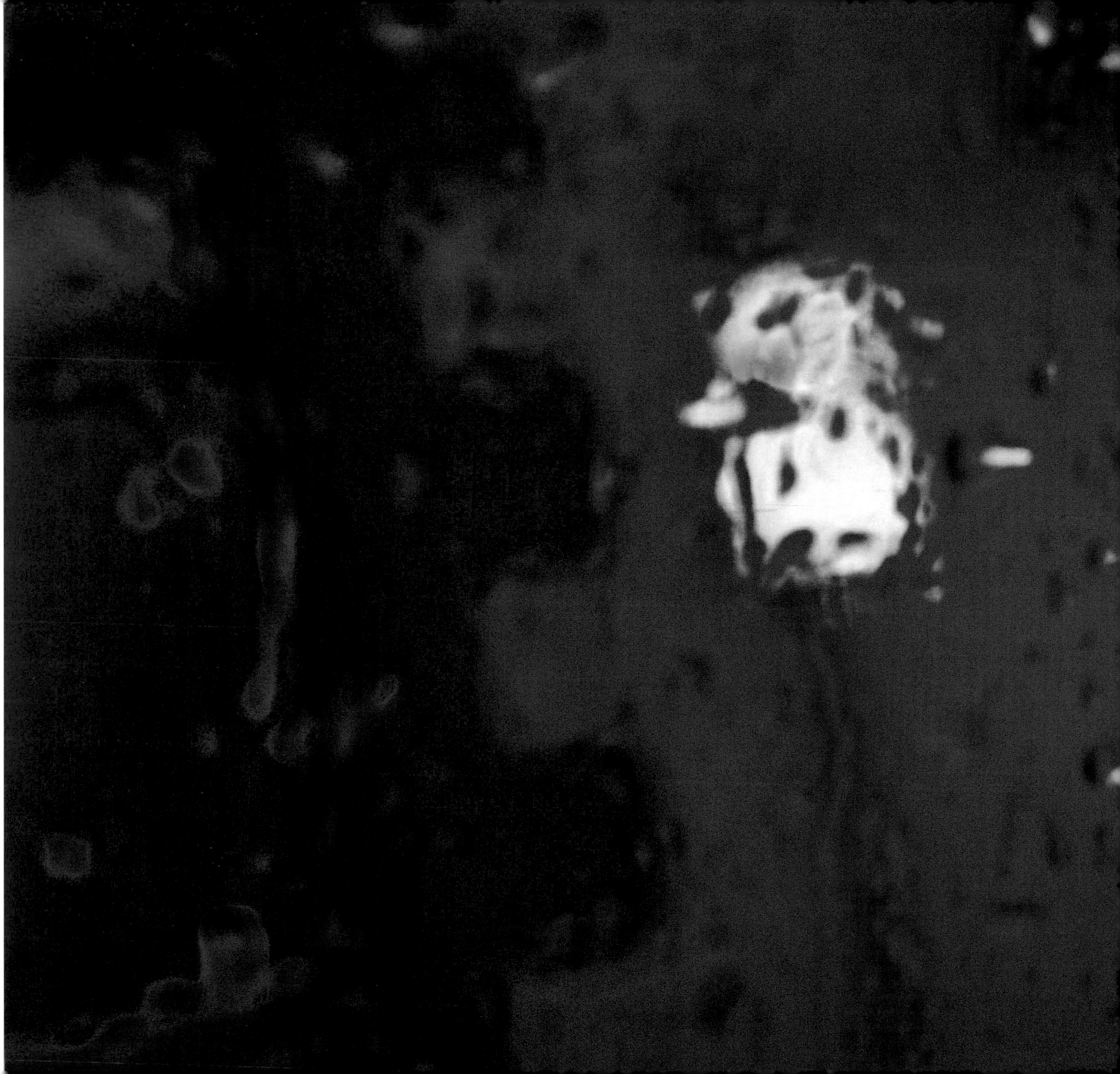

## GOUTTES DE PLUIE ET NÉON

À moins d'une absence totale de lumière, vous trouverez toujours un sujet qui vaille la peine d'être photographié. Pour cela, vous devez toujours avoir votre appareil photo prêt à déclencher. L'image ci-contre, prise un jour très humide et sombre, représente une devanture vue à travers la vitre d'une voiture. La lumière diffusée aide à intensifier les couleurs.

**1** Rappelez-vous que, même par lumière faible, l'appareil capte l'intensité complète des couleurs.

**2** Pour des résultats nets, utilisez la sensibilité la plus élevée, même si les couleurs peuvent ne pas être parfaites.

**3** Vous pouvez serrer sur les gouttes d'eau sur le verre plutôt que la scène extérieure en choisissant le mode Gros plan.

# Natures mortes fortuites

Les natures mortes figurent depuis toujours parmi les thèmes artistiques favoris. C'est certainement parce qu'il s'agit d'un sujet statique facilement accessible à tous. La prochaine fois que vous serez assis au restaurant en attendant votre plat, examinez les objets sur la table. Si vous êtes réceptif, vous sentirez immédiatement l'agencement original qui se propose à vous. Tout ce que vous avez à faire est de tenir votre appareil prêt à déclencher.

**1 TOUJOURS PRÊT**
Ayez toujours votre appareil photo à portée de main et votre esprit constamment en éveil pour dénicher des sujets de photo. C'est dans les objets quotidiens que l'on trouve le plus matière à des prises de vue originales.

**2 EN QUÊTE DE CRÉATIVITÉ**
Ne dérangez personne à table sous prétexte de prendre une photo sous un angle qui vous convient. Choisissez plutôt des perspectives insolites comme poser l'appareil directement sur la table ou photographier simplement ce qui est devant vous.

**3 ESSAYEZ DIFFÉRENTS RÉGLAGES**
Si vous êtes en train de déjeuner, profitez de la pause entre les plats pour faire des essais à différentes focales et ouvertures.

**4 AGENCEZ ET CADREZ**
Apprenez à percevoir l'entrelacs de bouteilles et de verres sur la table comme une opportunité. Essayez d'exploiter ce qui est devant vous, puis agencez les éléments pour affiner votre composition.

## POUR CETTE PHOTO

J'ai réglé le zoom sur une focale légèrement plus longue que la position standard et sélectionné une sensibilité moyenne. La lumière naturelle d'une journée ensoleillée a permis de choisir une ouverture offrant une profondeur de champ suffisante.

### MODE DE L'APPAREIL
Exposition automatique

### RÉGLAGE DU ZOOM
Petit téléobjectif

### SENSIBILITÉ ISO
Moyenne

### FLASH
Désactivé

## 5 QUELQUES AJOUTS

Grâce à une heureuse coïncidence de la distance et des dimensions, le verre d'eau a créé un effet optique qui inversait le palmier. Un passant parachève la composition.

# Natures mortes

La beauté d'une nature morte tient à l'immobilité des sujets à photographier. Cela veut dire que vous pouvez prendre votre temps, effectuer tous les réglages utiles, placer ou déplacer les éléments et peaufiner l'éclairage jusqu'à obtenir un résultat équilibré. Servez-vous d'un trépied pour laisser l'appareil photo en place pendant que vous vous concentrez sur l'agencement de la nature morte.

## SALVE DE COULEURS

Cette orchidée a été posée sur une table de verre noir pour capter la lumière du soir. La palette de couleurs réduite et un agencement simple ont contribué à une composition efficace.

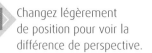 Changez légèrement de position pour voir la différence de perspective.

 En cas de fond noir, faites une mesure d'exposition sur une partie brillante de la scène.

## NATURE MORTE

Une pierre polie constitue un fond neutre idéal pour disposer des objets naturels tels que des pommes de pin.

1 Cadrez serré sur l'objet pour obtenir un maximum de détails.

2 Pour prendre des objets relativement peu profonds, servez-vous d'une focale standard.

## NATURE MORTE DE CUISINE

Inutile de sortir de chez soi pour trouver des sujets de photo. Ces ustensiles de cuisine, compte tenu de la variété de leurs formes, conviennent idéalement pour une nature morte.

1 Assurez-vous que les ustensiles sont propres : l'appareil photo ne laisse passer aucune tache.

2 Allumez les lumières pour augmenter l'éclat du métal.

3 Travaillez avec la lumière du jour comme source principale.

## AGENCEMENT EXTÉRIEUR

Cette image fonctionne bien car elle utilise une étroite gamme de couleurs qui attire notre attention sur la variété de formes et de textures de la composition. Un petit jardin peut même offrir un vaste choix d'opportunités photographiques.

1 Les jours couverts conviennent à la photo couleur ; un soleil éclatant n'est pas toujours utile.

2 Disposez d'une profondeur de champ étendue pour valoriser tous les éléments.

3 Supprimez tout ce qui distrait mais en veillant à conserver le sens de la composition.

Les objets en verre tels que les vases, les bouteilles et les lunettes agissent comme des lentilles ou des prismes. Regarder un objet à travers du verre – notamment s'il est travaillé – peut transformer comme par magie les deux éléments.

**1** Utilisez un grand-angle et l'ouverture la plus petite pour vous assurer une profondeur de champ maximale.

**2** Servez-vous d'une lampe de chevet ou de table pour introduire des hautes lumières.

## GROS PLANS DE TABLE

Un décor de table peut être l'occasion de photos insolites. Les petits appareils photo numériques permettent d'explorer les secrets visuels d'un décor de table et de composer des natures mortes d'une manière impossible à obtenir avec des équipements plus gros.

**1** Réglez-vous en mode Gros plan ou Macro et veillez à désactiver le flash.

**2** Posez directement l'appareil sur la table pour obtenir un cadrage inhabituel.

**3** Tirez parti de la stabilité de l'appareil pour faire des essais de temps de pose.

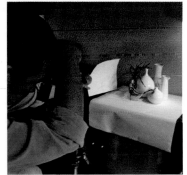

## OBJETS DE VALEUR

Étrangement, les objets blancs sont de merveilleux sujets de photographie couleur. Réglez la balance du blanc ou essayez quelques poses pour obtenir des blancs et des teintes subtiles correctes.

**1** Vérifiez l'image sur l'écran de contrôle pour les blancs brillants et les ombres gris pâle.

**2** Faites des essais en ajoutant des accessoires dont les textures contrastent avec l'objet principal.

**3** Servez-vous d'un réflecteur ou d'un papier blanc pour déboucher les ombres.

# Chaos et motifs

La difficulté à peindre ou à dessiner des motifs de fins détails répétitifs – l'enchevêtrement chaotique des filets de pêche, par exemple, ou la délicate précision d'une toile d'araignée – est notoire. En revanche, l'aisance de la photographie à reproduire de tels motifs en fait des sujets artistiques prisés et de choix pour cet art. Il en ressort qu'on trouve partout, et notamment dans des lieux inattendus, des textures et des motifs originaux.

## 1 GARDEZ L'ŒIL OUVERT

Le plus chaotique des fouillis peut même être l'occasion de faire des photos de motifs. Ce n'est pas parce que ces éléments sont par terre qu'ils n'appartiennent à personne. Ne les dérangez donc pas.

## 2 LAISSEZ VOTRE SUJET GUIDER LA LUMIÈRE

Le meilleur éclairage dépend du type de texture que vous escomptez photographier. Des motifs fortement marqués, avec de la profondeur, comme ces filets de pêche, ressortent mieux en lumière douce, mais des textures plus délicates rendront mieux avec une lumière plus dure et plus directe.

## 3 UTILISEZ LE MONITEUR POUR CADRER

L'écran de contrôle des appareils numériques est un excellent outil d'aide à la recherche de textures. Cela vient de ce qu'il simplifie l'image en ne montrant qu'approximativement les détails les plus fins. Si les formes et les motifs semblent attrayants à l'écran, l'image a des chances d'être efficace.

## 4 PHOTOGRAPHIEZ

Une fois la source de motifs et de textures trouvée, vous pouvez travailler à loisir. Essayez différentes échelles, avec ou sans contraste de couleurs. Laisser l'appareil parallèle à la surface de la texture assurera le bon « aplat » du motif à l'image.

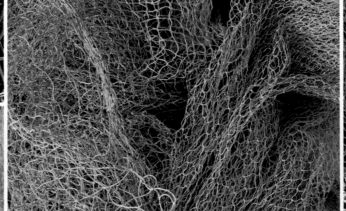

# Explorer les textures

Votre première cible photographique peut être un monument, mais les plus grandes satisfactions visuelles peuvent être gâchées par des textures extérieures ravagées par le temps. Bien entendu, la texture d'un édifice peut à elle seule être un sujet.

Pour réussir, cadrez soigneusement afin d'équilibrer les différents éléments et donner une idée de l'échelle. Le choix de l'éclairage est également important dès lors que plus vous vous arrangez pour reproduire des détails, mieux vous révélez les textures.

## POUR CETTE PHOTO

J'ai tenu l'appareil aussi perpendiculairement que possible à la surface et choisi
le réglage de qualité élevée pour
reproduire tous les détails fins. Comme
j'étais assez près, j'ai sélectionné la
position macro et désactivé le flash
pour éviter d'écraser la scène.

**MODE DE L'APPAREIL**

Programme

**RÉGLAGE DU ZOOM**

Macro

**SENSIBILITÉ ISO**

Faible à moyenne

**FLASH**

Désactivé

---

## ÉCLAIRER LE RELIEF

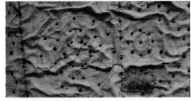

**Lumière diffuse**

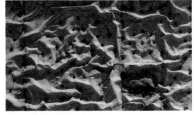

**Lumière directe**

Pour faire apparaître le relief et les détails de
la texture, la lumière doit venir latéralement.
En fonction de la texture, vous devez choisir
une lumière diffuse ou une lumière crue et
concentrée. En général, le mieux est une
lumière semi-diffuse.

---

**1 RECHERCHEZ DES TEXTURES INHABITUELLES**

Faites le tour de l'édifice
à la recherche de surfaces
et de détails intéressants.
En plein soleil, les textures
seront exagérées alors que
dans les ombres, elles
seront adoucies.

**2 RÉGLEZ L'APPAREIL**

À moins de 70 cm, calez-vous en mode Macro ou
Gros plan. C'est souvent un pictogramme de fleur
qui indique le réglage.

**3 RELEVEZ L'APPAREIL**

Si la zone que vous
souhaitez photographier
est au-dessus du niveau
de l'œil, vous devrez
tenir votre appareil
au-dessus de votre tête.
Pensez à le maintenir
perpendiculairement à
la surface pour éviter la
déformation de l'image.

**4 VARIEZ LES PRISES**

Quand vous photographiez
des détails abstraits,
le choix du bon cadrage
n'étant pas évident, faites
beaucoup de prises. Si vous
n'avez rien d'autre, les
textures se révéleront utiles
pour servir de fond de page
Web, d'albums ou de cadre
pour d'autres photos.

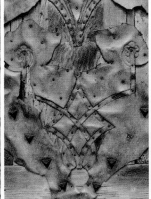
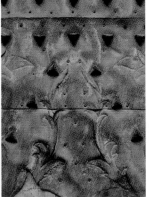

# Art urbain

Les paysages urbains regorgent d'éléments, comme des rideaux métalliques, du mobilier ou des graffitis, pouvant être considérés comme disgracieux. Là encore, ils sont pain bénit pour le photographe. Un appareil peut transformer le désordre, la décadence et les dispositions apparemment aléatoires en compositions visuellement plaisantes. Les seuls impératifs sont des plus élémentaires : observer et avoir l'appareil prêt à déclencher.

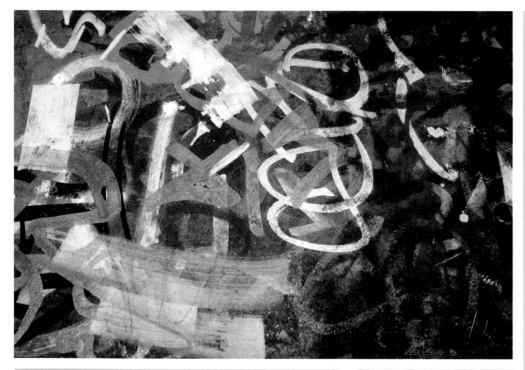

### CONVERSION EN NOIR ET BLANC

Vous pouvez repousser l'abstraction des formes et le contour des graffitis en supprimant la couleur de l'image.

**1** Sélectionnez une couleur et un contraste élevés pour avoir l'impact graphique le plus fort.

**2** Pour une distribution unie de la netteté, cadrez perpendiculairement à la surface.

### SURFACES MÉTALLIQUES

L'environnement urbain regorge de textures métalliques qui vous permettent d'explorer les qualités de la lumière. Ici, les tables brillantes contrastent avec les graffitis derrière elles.

**1** Quand vous tombez sur quelque chose de prometteur, essayez différents angles et cadrages.

**2** Faites des essais de profondeur de champ pour apprécier ce qui rend le mieux.

## MESSAGES MIXTES

On a tendance à penser que les graffitis sont les premiers signes de la décadence urbaine. Ils peuvent pourtant être visuellement intéressants. Ces rideaux métalliques ouverts, révélant, une fois fermés, des peintures à la bombe, prennent une nouvelle dimension.

**1** Recherchez des images qui véhiculent plusieurs idées, dès lors qu'elles sont les plus intéressantes.

**2** Cadrez vos images de manière simple et laissez la situation parler d'elle-même.

## ÉCLAIRAGE CHAUD

L'attrait visuel de nombreux sites urbains dépend largement de la qualité de la lumière. Une lumière forte et chaude peut enjoliver le plus négligé des coins.

**1** Sous-exposez volontairement pour intensifier les couleurs.

**2** Sélectionnez une sensibilité élevée pour ajouter du bruit aux textures pouvant sembler trop douces.

## AU-DELÀ DU BANAL

À propos de l'appareil à garder toujours sur soi, sachez que cela vous aide à garder vos sens en éveil et à déclencher spontanément.

**1** Si vous avez un doute quant au cadrage, calculez tout de même l'exposition.

**2** Ne cédez pas à la tentation d'agencer la scène – la composition paraîtrait artificielle.

**3** Servez-vous des réglages de qualité maximale, de manière à pouvoir réaliser des tirages en série, si vous le souhaitez.

## ÉCRIRE SUR LES MURS

Les endroits les plus déplaisants – des arrière-cours d'immeubles ou des usines désaffectées – peuvent offrir les images les plus originales et surprenantes. La photo peut instantanément reproduire fidèlement toute la scène.

**1** Prenez toutes les précautions nécessaires dans les zones à risque.

**2** Si votre focale n'est pas assez large pour embrasser toute la scène, faites un panorama.

**3** Dans des endroits sombres, montez l'appareil sur un trépied ou tout autre support au lieu de vous servir du flash.

# Expression artistique

L'une des merveilleuses propriétés de la photographie est de permettre d'utiliser l'appareil pour de l'autoexpression – cadrer de la manière la plus subjective ou instinctive qui soit –, il vous donnera toujours des images bien exposées, naturelles et finement détaillées. L'appareil photo vous permet de satisfaire votre amour de la couleur, des ombres et de la lumière ou des motifs emberlificotés.

**INSPIRATION INATTENDUE**
Habituez votre œil à voir au-delà de l'évidence :
ici, un simple panneau de verre révèle des silhouettes
de feuilles d'olivier sur un soleil couchant.

**COULEURS ET FORMES**
La grille de radiateur d'un bus s'est transformée en
œuvre d'art chatoyante par la volonté d'un propriétaire
amoureux. Zoomez serré pour créer un cliché abstrait.

**GRAPHIQUES MODERNES**
Adonnez-vous au plaisir absolu de la lumière
et de la couleur pour ce qu'elles sont en prenant
des photos de néons et d'écrans à plasma.

**POTERIE**
Avec sa surface polie et son vernis craquelé, ce vase en
terre cuite est en soi un sujet insolite. Combinez-le avec
des ombres pour ajouter de la complexité à la composition.

**COMPOSITION DE LA NATURE**
Le plus grand artiste est la nature elle-même.
Prenez le temps d'explorer les merveilleux
assemblages de galets sur un rocher.

### ÉCRIRE AVEC DE LA LUMIÈRE

Pour créer une traînée lumineuse sur une image nette, combinez simplement une pose longue avec un flash pendant que vous faites tournoyer une lumière devant l'appareil.

### STRIES LUMINEUSES

Quand l'obscurité n'est éclairée que par des lumières artificielles, harnachez votre appareil, choisissez une pose longue, déclenchez et lancez l'appareil en l'air.

### ESPACE NÉGATIF

Une zone vide qui définit les bords d'objets est appelée « espace négatif ». Vous pouvez vous en servir pour un effet positif en le transformant lui-même en sujet.

## DÉTAIL TEXTURÉ

Des textures ou des vues inhabituelles produisent des énigmes visuelles. Qu'est-ce que c'est ? Est-ce gros ? Comment cela a-t-il été pris ? De tels motifs n'ont pas besoin d'être hauts en couleur pour être efficaces.

## TRAVAILLER AVEC DE LA COULEUR

Les perles et chapelets de prière constituent d'insolites motifs de couleur, faisant contraster de fins détails avec de larges zones de couleur.

## OMBRE ET MOUVEMENT

Un renard en train de courir est pris dans le flou de la lumière si vous bougez ou déplacez latéralement l'appareil dans la même direction que l'animal pendant la pose.

Autres
applications

1234567

Les usages pratiques de la photo sont souvent ignorés. Il s'agit en réalité de l'une des pierres angulaires de l'expérience photographique. Le monde des affaires repose sur ce média de multiples façons – de la présentation de produits et de services à la promotion et au suivi des registres. Pour les mêmes raisons, des particuliers font aussi appel à la photo : pour conserver une trace de leurs collections, vendre des objets et expliciter le cheminement de processus tels que la restauration d'une maison. Dans le même esprit, la photo est indispensable aux scientifiques, médecins, ingénieurs et contrôleurs, pas seulement pour faciliter une étude détaillée mais aussi pour révéler des phénomènes trop subtils, rapides ou éloignés pour être discernés à l'œil nu.

## CONSIGNER VOS BIENS

Des photos de biens précieux comme des meubles de famille, des bijoux ou des bibelots sont souvent utiles pour l'assurance. Elles aident aussi à établir leur propriété et leur provenance si vous devez les vendre. Leur photo peut aussi servir à les identifier facilement quand vous stockez des biens dans des boîtes.

 Montrez les bijoux en situation : en plus d'enregistrer leur aspect, cela donnera une idée immédiate de leur taille.

 Utilisez des fonds contrastés qui soulignent clairement l'objet – de l'argenterie sur fond noir, par exemple.

Disposez une règle graduée, une pièce de monnaie ou tout autre objet familier près de l'objet à photographier pour établir une échelle.

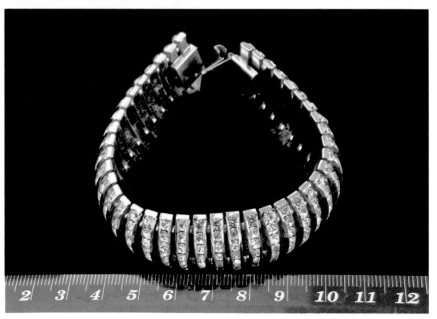

## DOCUMENTER UN PROJET DE CONSTRUCTION

De grands projets tels que la construction ou la rénovation d'une maison bénéficient de la puissance documentaire de la photographie. Enregistrez la progression à chaque étape du processus. Prenez des vues d'éléments (fils électriques ou tuyauterie du chauffage) qui seront ultérieurement masqués. Photographiez ce que vous souhaitez commenter ou corriger et explicitez les bons comme les mauvais points.

Pour bâtir une séquence représentant le développement du projet, tenez-vous au même endroit pour chaque prise.

Datez toutes les images. Certains appareils disposent d'une commande qui incruste directement la date.

Si vous explicitez un détail, veillez à photographier aussi son contexte, au risque de ne pas vous rappeler plus tard de l'endroit où la photo a été prise.

## PHOTOGRAPHIER DES INTÉRIEURS

Des images de grande qualité de l'intérieur d'un foyer peuvent être utiles quand vous désirez vendre la propriété ou documenter l'état des lieux avant ou après une transformation.

Si une vue incluant tout en un seul cliché est impressionnante et exagère la sensation d'espace, il peut aussi être intéressant de prendre des vues plus petites et plus intimistes traduisant une impression de place.

**1** Servez-vous toujours d'un trépied : il vous permettra d'aligner l'appareil de manière fiable et d'obtenir, sans flash, des images nettes et de qualité avec une bonne profondeur de champ.

**2** Réglez-vous en grand-angle maximal et si ce n'est pas suffisant, essayez de réaliser un panorama en assemblant deux images ou plus sur votre PC.

**3** Allumez toutes les lumières de la maison et apportez des lampes supplémentaires pour éclairer les zones sombres. Travaillez par temps couvert ou pas trop ensoleillé de manière que la lumière venant des fenêtres ne soit pas trop brillante.

## PHOTO REVENDICATIVE

L'une des grandes contributions de la photo à l'amélioration du monde tient dans son exploitation par des groupes protestataires à des fins de communication, d'aide à la prise de conscience et de partage de l'information. Vous pouvez, par exemple, consigner le travail de votre groupe qui se bat pour la préservation de l'habitat naturel de la faune locale. Pour beaucoup, vos photos fourniront la preuve du problème et constitueront une révélation.

**1** Cadrez vos vues simplement et sans artifice ni exagération. Elles doivent rendre compte de la réalité.

**2** Faites des comparatifs de type avant-après. Ils servent efficacement à montrer le bénéfice du travail effectué.

**3** Photographiez tout en haute résolution dans la mesure où votre travail peut avoir une importance historique. Archivez tous vos clichés.

## CARNET DE ROUTE

Nombreux sont les photographes confrontés à la question de savoir ce qu'il faut faire de toutes les images rapportées d'un voyage de découverte. Vous pouvez constituer de simples albums ou aller plus loin en créant des carnets de route, lesquels associent à des photos le mémorable et l'éphémère collationnés durant le déplacement pour le relater le plus exhaustivement possible.

**1** Conservez tous les tickets, cartes et dépliants amassés durant le voyage : ils aident à situer le contexte des photos.

**2** À votre retour, rassemblez le matériel et photographiez différentes compositions qui serviront de fond à vos clichés.

**3** Pensez à créer un site Web avec vos images afin de les partager avec les amis rencontrés lors de votre voyage.

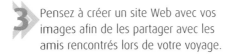

## CATALOGUE DE COLLECTIONS

Quoi que vous collectionniez et quels qu'en soient la valeur ou l'intérêt pour vous et vos semblables, la photo est un média idéal pour constituer des catalogues et conserver la trace de votre collection. Elle vous permet aussi d'en montrer les pièces sans risquer de les exposer.

**1** Faites des clichés de chaque pièce individuellement ou de groupes de la qualité la plus élevée possible.

**2** Utilisez un éclairage approprié à l'objet – lumière latérale pour révéler le relief des pièces de monnaie, par exemple, et par le dessus pour des articles plats comme des timbres.

# Ce que l'œil ne peut voir

Manipulé par quelqu'un de relativement inexpérimenté, un appareil photo peut produire des résultats visuels plaisants. Il n'est donc pas surprenant qu'entre les mains d'un expert disposant d'un équipement spécial, il permette de créer des images réellement attrayantes. Ces clichés révèlent un monde invisible à l'œil nu : des minéraux dans le sol, des galaxies dans l'espace et des phénomènes subtilement imperceptibles.

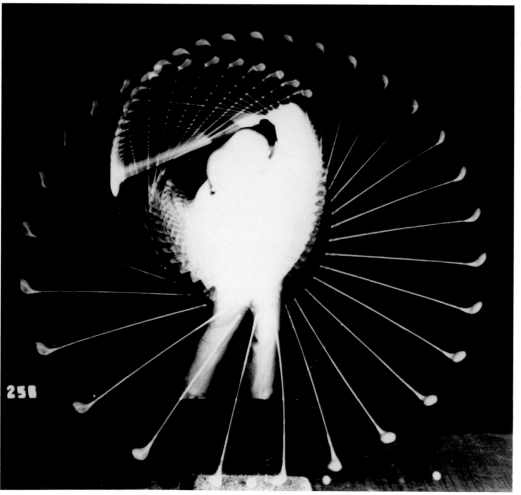

## LUMIÈRE STROBOSCOPIQUE

Les flashs photographiques les plus anciens utilisaient des tubes stroboscopiques – des dispositifs produisant de brèves et intenses impulsions lumineuses. Il aura fallu étrangement beaucoup de temps avant que l'on juge intéressant de se servir de leurs propriétés pour décomposer un mouvement rapide dans ses différentes étapes. Certains flashs modernes peuvent produire des effets stroboscopiques.

**1** Les vues doivent être prises dans la plus totale obscurité, de manière que seul le mouvement soit enregistré par l'éclair du flash.

**2** Le rythme des éclairs est réglé en fonction du mouvement : des mouvements très rapides nécessitent un rythme très élevé

**3** Le numérique a révolutionné la photo stroboscopique, facilitant l'examen des images et, au besoin, la répétition des mouvements.

## IMAGERIE SATELLITAIRE

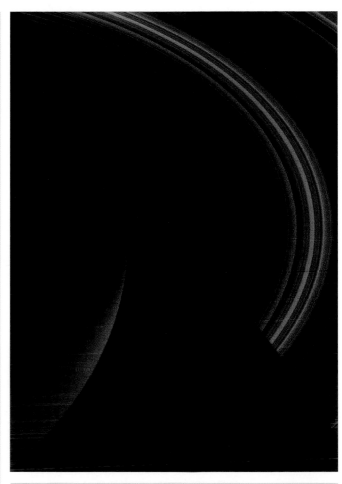

Notre perception de la Terre a été transformée par les satellites. De nombreuses techniques développées pour leurs capteurs sont devenues des briques de construction de la photo numérique.

1 Pour réaliser une image, les satellites analysent différents types de rayonnement.

2 Les couleurs sont introduites artificiellement pour mettre différentes informations en valeur.

## PHOTOS KIRLIAN

Censées être des signes des énergies psychiques, les images Kirlian enregistrent la décharge électrique parcourant un champ à haute tension et haute fréquence, semblable au phénomène météorologique du feu de Saint-Elme.

1 Cette technique a servi dans le diagnostic de l'état de santé des gens et des organismes.

2 L'objet est placé directement sur une émulsion photographique ; il n'y a pas besoin d'appareil photo.

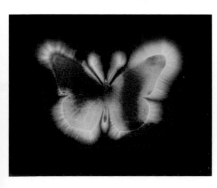

## PHOTOGRAPHIE SPATIALE

L'exploration interplanétaire par des satellites nous a révélé la merveilleuse beauté des détails du système solaire. Chaque pixel des images doit être codé sous forme d'un signal radio envoyé à des millions de kilomètres vers la Terre où il est reconstitué. Ici, Saturne éclairé par la lumière du Soleil la réfléchit sur ses anneaux de poussière.

1 Les prises sont effectuées par poses pour le rouge, le vert et le bleu afin de recréer des images couleur naturelles.

2 Les appareils photo d'engin spatial bénéficient du vide spatial pour renvoyer des images particulièrement claires : la photo ci-dessus a été prise à 1,35 million de kilomètres de Saturne.

## PHOTOS GALACTIQUES

La photographie de galaxies, ou collections d'étoiles et de planètes comme la nôtre, peut produire des images incroyables. Des clichés de galaxies et de nébuleuses proches sont réalisés en maintenant une combinaison télescope/appareil photo pointés vers le même objet pendant un cycle de plusieurs heures.

1 Les télescopes doivent être installés dans des zones dépourvues de pollution lumineuse et à l'air le plus propre comme les déserts.

2 Les prises doivent être soigneusement planifiées : les galaxies doivent être présentes une bonne partie de la nuit, et le temps parfaitement clair et sans le moindre souffle.

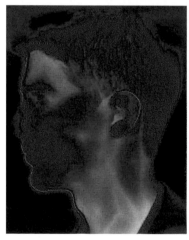

### IMAGERIE INFRAROUGE

Nous ne voyons pas le rayonnement infrarouge dont la puissance varie avec la température du sujet. En revanche, des capteurs peuvent percevoir l'infrarouge et créer une image, laquelle nous permet de connaître la distribution thermique du sujet. Cette information est normalement invisible à l'œil humain.

 1 L'attribution de couleurs à l'infrarouge est arbitraire mais part d'une intuition : les zones les plus froides sont en bleu et les plus chaudes, en rouge.

 2 Certaines optiques pour la vision de nuit et pour les caméras de sécurité fonctionnent en éclairant le sujet en infrarouge et en lisant la réflexion.

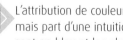 3 Il est difficile de créer des images très nettes du fait de l'absorption du rayonnement IR et des problèmes de mise au point.

## PHOTOGRAPHIE À RAYONS X

Bien qu'étant habituellement utilisés pour des raisons médicales, les rayons X – rayonnement à haute énergie pouvant partiellement pénétrer des corps solides – peuvent aussi servir à des fins artistiques. Les parties denses du sujet absorbent plus de rayonnement, ce qui conduit à la création des parties les plus sombres de l'image.

**1** Les rayons X sont essentiellement des photogrammes : l'objet est proche ou directement disposé sur un matériau sensible aux rayons X.

**2** Les images sont uniquement en noir et blanc et nécessitent de pousser le contraste pour être lisibles.

## PHOTOGRAPHIE À HAUTE VITESSE

L'enregistrement d'événements plus brefs qu'un clignement d'œil – d'une durée de moins d'un millième de seconde – est le suprême de la photographie au flash. Les principaux problèmes posés ne viennent pas du manque d'éclairage ni de la brièveté de l'événement mais du temps de déclenchement du flash au pic de l'action. Pour ce faire, il faut des dispositifs spécialisés, bien qu'on puisse se servir d'appareils photo ordinaires.

**1** L'exposition du flash doit être plus courte que la durée de l'événement.

**2** La lumière ne peut provenir que du seul flash, dès lors que l'obturateur de l'appareil photo doit être ouvert avant l'événement.

**3** L'éclair doit être particulièrement intense pour compenser son extrême brièveté.

# Glossaire

**32x.** Vitesse de lecture d'un média comme une carte mémoire ou un CD. 32 fois la vitesse de 150 kbit/s pour un CD, par exemple.

**6 500.** Balance du blanc standard correspondant à la lumière du jour normale. Elle paraît chaude par rapport à 9 300.

**9 300.** Balance du blanc standard proche de la lumière du jour. Elle sert principalement aux afficheurs visuels dans la mesure où son contenu bleu le plus élevé donne un meilleur rendu de la couleur dans des conditions d'éclairage artificiel.

**Afficheur.** Dispositif tel qu'un écran de contrôle, un projecteur à cristaux liquides ou le panneau d'information d'un appareil photo qui offre une présentation visuelle temporaire des données.

**Amélioration.** Modification apportée à une image pour retoucher une ou plusieurs de ses qualités – augmenter, par exemple, la saturation couleur ou la netteté.

**Analogique.** Effet, représentation ou enregistrement non numérique qui varie en puissance.

**Annuler.** Inverser une modification ou toute action semblable dans une application logicielle.

**Anticrénelage.** Méthode de lissage des « marches d'escalier » des diagonales rencontrée en infographie ou en typographie numérique.

**Aplatir.** Combiner plusieurs calques et autres éléments en un seul calque d'arrière-plan.

**APNC.** Abréviation d'appareil photo numérique compact.

**Balance chromatique.** Réglage de la balance du blanc d'une image pour garantir une reproduction correcte de la couleur.

**Balance du blanc.** Fonction qui compense le rendu différent de couleurs identiques sous des sources d'éclairage différentes.

**BMP (BitMap).** Format des fichiers image utilisé par Windows.

**Bracketing.** Prise de plusieurs photos en rafale en faisant varier les paramètres d'exposition.

**Bruit.** Irrégularités réduisant le contenu d'information d'une image.

**Burning-in.** Action de surexposer une partie sélectionnée d'une image, soit en chambre noire, soit par manipulation, pour la faire paraître plus foncée.

**Calibration.** Processus visant à faire correspondre les caractéristiques ou le comportement d'un dispositif à un standard.

**Charger.** Transfert de données entre ordinateurs ou depuis un réseau d'ordinateurs vers un serveur.

**Chevauchement.** Méthode de compensation de sur ou sous-exposition produite par le système d'exposition automatique d'un appareil photo.

**CMJN (Cyan, Magenta, Jaune, Noir).** Mode de couleurs utilisé par les systèmes d'impression dans lesquels les encres de ces quatre couleurs sont combinées pour en former d'autres.

**Colorer.** Ajouter de la couleur à une image noir et blanc sans changer les valeurs de luminosité initiales.

**Compression avec perte.** Routine informatique telle que JPEG qui réduit la taille d'un fichier tout en perdant des informations au cours du processus.

**Compression non destructive.** Routine informatique telle que LZW qui réduit la taille d'un fichier tout en préservant la taille des informations.

**Compression.** Processus de réduction de la taille d'un fichier numérique par modification du codage des données.

**Contour progressif.** Flouter une bordure ou un contour en réduisant la netteté ou la spontanéité d'un changement.

**Contraste.** Mesure de la relation entre les demi-tons et les parties les plus brillantes et les plus sombres d'une scène.

**Copie d'écran.** Forme visible d'un fichier informatique imprimé plus ou moins temporairement sur un support papier ou film.

**Couleur.** Qualité de perception visuelle caractérisée par la teinte, la saturation et la luminosité.

**Couleurs chaudes.** Couleurs à l'extrémité rouge du spectre, y compris le jaune et l'orange, associées à la chaleur.

**Crénelage.** Reproduction brute, en marches d'escalier, d'une ligne ou d'un contour initialement lisses.

**Débit.** Nombre d'expositions qu'un appareil peut effectuer par seconde (ips).

**Débouchage.** Éclairer des ombres induites par la source principale en utilisant une autre source ou un réflecteur pour renvoyer la lumière vers ces ombres.

**Défilement.** Processus de déplacement vers une partie différente d'une image, trop large pour être intégralement affichée sur un moniteur.

**Définition.** Mesure subjective de la clarté et de la qualité des détails visibles d'une image.

**Demi-ton.** Gris situé à mi-distance entre le blanc et le noir.

**Distribution chromatique.** Teinte ou coloration qui couvre une image de manière unie.

**Double-tons.** (1) Processus d'impression photomécanique utilisant deux encres pour augmenter la gamme tonale. (2) Mode de travail dans un logiciel de retouche graphique qui simule l'impression d'une image avec deux encres.

**Écran à cristaux liquides.** Dispositif d'affichage utilisant des matériaux capables de bloquer la lumière.

**Écrire.** Engager des données sur un support de stockage tel qu'un CD-R.

**Exposition.** Quantité de lumière atteignant une pellicule ou un capteur. Elle peut varier en réglant l'ouverture de l'objectif et la vitesse d'obturation.

**Filtre.** (1)

**Flash.** (1) Appareil électronique qui émet une lumière brève et très intense. (2) Type de mémoire électronique employée, notamment, dans les appareils photo numériques.

**Format de fichier.** Méthode ou structure de données informatiques.

**Gamme chromatique.** Gamme de couleurs pouvant être produite par un dispositif ou un système de reproduction.

**Gestion de la couleur.** Système de contrôle de la sortie couleur de tous les éléments d'une chaîne de production.

**Histogramme.** Représentation graphique de la quantité d'informations en fonction du niveau de densité d'une image.

**Hors gamme.** Couleurs d'un système colorimétrique qui ne peuvent être vues ou reproduites par un autre.

**Jet d'encre.** Méthode d'impression dans laquelle de très fines gouttelettes d'encre sont projetées sur du papier ou un autre support.

**Joint.** Fichier numérique tel qu'une photo, expédié conjointement à un courriel.

**JPEG (*Joint Photographic Experts Group*).** Technique de compression de données réduisant la taille d'un fichier avec perte. Voir Compression avec perte.

**K.** (1) Kilo binaire utilisé parfois pour exprimer 1 024 octets. (2) Degré Kelvin, unité de mesure de la température de couleur.

**Lire.** Accéder ou saisir une information stockée en mémoire, sur un support optique ou sur un disque dur.

**Longueur focale.** Distance du «centre» optique d'un objectif à son point de netteté sur la pellicule ou le capteur numérique lorsque l'objectif est réglé sur l'infini. Généralement mesurée en millimètres.

**Luminosité.** Qualité de perception visuelle qui varie avec la quantité ou l'intensité de la lumière.

**Luminosité.** Quantité de blanc dans une couleur. Elle en affecte la saturation perçue : plus la couleur est lumineuse, moins elle semble saturée.

**Maquillage.** Technique de contrôle du contraste local au tirage par réduction sélective de la quantité de lumière atteignant les parties de l'image qui serait autrement tirée trop foncée.

**Masque.** Parties sélectionnées d'une image pour restreindre la zone affectée par une manipulation numérique.

**Mégapixel.** Un million de pixels. Le terme sert à décrire un appareil photo numérique par rapport à la résolution de son capteur.

**Mise au point.** Faire qu'une image paraisse nette en réglant l'objectif.

**Mode Calque.** Technique de traitement d'image ou de retouche graphique qui définit la manière dont un calque dans une image composite se combine ou interagit avec le calque inférieur.

**Monochrome.** Photo ou image composée de blanc, de noir et de gris. Peut ou non être teintée.

**Monocoup.** Effectuer une pose unique en appuyant sur le déclencheur, même s'il est maintenu enfoncé.

**Naviguer.** Examiner une collection de sujets tels que des images ou des pages Web.

**Niveaux.** Représentation de la distribution de la luminosité des pixels d'une image.

**Noir.** Zone sans couleur ni teinte du fait de l'absorption de toute lumière ou presque.

**Nombre f/.** Réglage de diaphragme optique qui détermine la quantité de lumière passant à travers l'objectif.

**Nuances de gris.** Expression usitée pour décrire une image composée d'ombres discrètes de gris. Il est souvent synonyme de monochrome et de noir et blanc.

**Octet.** Unité d'information numérique.

**Opacité.** Degré de visibilité d'une image à travers un ou plusieurs calques.

**Ouverture.** Partie la plus étroite d'un objectif au travers de laquelle la lumière passe. Elle est assurée par le diaphragme optique et détermine le nombre f/.

**Palette.** (1) Jeu d'outils de couleurs ou de formes. (2) Gamme de sélection de couleurs dans une image.

**Panoramique.** Suivi pendant la pose du mouvement d'un sujet se déplaçant.

**Peindre.** Appliquer une couleur, une texture ou un effet à l'aide d'un pinceau numérique.

**Périphérique.** Relié à un ordinateur, dispositif tel qu'une imprimante, un moniteur, un scanner ou un modem.

**Photomontage.** Photo composite constituée par l'association de plusieurs images.

**Pilote.** Logiciel utilisé par un ordinateur pour contrôler ou commander un périphérique tel qu'un scanner, une imprimante ou un disque amovible.

**Pinceau.** Outil d'édition graphique servant à appliquer des effets tels que de la couleur, du flou, etc.

**Pixel.** Abréviation de «picture element» (élément d'image). Les plus petits points formant une image numérique.

**Pixellisée.** Apparence d'une image numérique dont les pixels sont clairement visibles.

**Pose.** Réglage d'exposition calculé en secondes ou en fractions de seconde et contrôlant le temps pendant lequel l'obturateur d'un appareil photo reste ouvert.

**PPP (points par pouce).** Unité de mesure de la résolution d'un équipement de sortie pour désigner le nombre de points pouvant être imprimés.

**Profondeur de champ.** Mesure l'étendue de la zone de netteté en avant et en arrière du sujet, à raison de 1/3 devant et 2/3 derrière.

**RAM (*Random Access Memory*).** Composant d'ordinateur dans lequel l'information est rapidement stockée ou accessible de manière aléatoire.

**RAW.** Format de fichier image contenant toutes les informations enregistrées par l'appareil photo dans sa forme non traitée.

**Recadrer.** (1) Exploiter une partie d'image pour améliorer sa composition. Adapter l'image à un espace disponible. (2) Scanner la seule partie nécessaire d'une image.

**Redimensionnement.** Changer la résolution ou la taille de fichier d'une image pour coller à l'usage prévu.

**Réglage ISO.** Mesure de la sensibilité à la lumière des appareils numériques, équivalente à celle d'un film.

**Résolution.** Façon de décrire le niveau de détails dans une image. Plus sa résolution est élevée, plus l'image contient de détails.

**Rogne.** (1) Photo ou ligne qui sort de la page imprimée. (2) Propagation d'encre dans les fibres du papier qui agrandit le point, dans laquelle le point est plus grand que prévu.

**RVB (Rouge, Vert, Bleu).** Modèle colorimétrique qui définit les couleurs en termes de quantités relatives de ses composantes rouge, verte et bleue. Le RVB est utilisé pour afficher des couleurs sur les téléviseurs, les moniteurs informatiques et les écrans à cristaux liquides.

**Sauvegarde.** Faire et enregistrer une seconde copie ou plus de fichiers informatiques. Également la copie faite en sauvegarde.

**Sortie.** Copie d'écran imprimée d'un fichier numérique.

**Supprimer.** Effacer un élément d'une image ou un fichier d'un répertoire courant.

**Synchronisation flash.** Réglages de flash et d'exposition qui équilibrent la lumière du jour pour créer un aspect naturel.

**Système d'exploitation.** Programme informatique qui coordonne le fonctionnement d'un ordinateur.

**Tampon.** Pour copier ou prélever une partie d'image puis la coller sur une autre partie ou image.

**Teinte.** Nom de la perception visuelle en termes d'ombre de complexion d'une couleur.

**Téléobjectif.** Construction optique qui permet à la longueur physique de l'optique d'être plus courte que la longueur focale.

**TIFF (*Tag Image File Format*).** Format d'image numérique couramment utilisé pour les images destinées à l'impression ou la publication sans compression.

**Ton clé.** Ton principal ou le plus important d'une image. Généralement demi-ton entre le blanc et le noir.

**USB (*Universal Serial Bus*).** Port standard pour relier des périphériques tels qu'un appareil photo numérique, des imprimantes ou un équipement de télécommunications, à un ordinateur.

**USM (masque flou).** Technique de traitement d'image qui a pour effet d'améliorer la netteté apparente d'une image.

**Valeur d'ouverture.** Représenté par le nombre f/, ce réglage contrôle la taille de l'ouverture et la quantité de lumière passant à travers l'objectif.

**Vignette (imagette).** Représentation réduite et basse résolution d'une image.

**Viseur à vision directe.** Type de viseur dans lequel le sujet est observé directement – à travers un trou ou un dispositif optique, par exemple.

**Viseur électronique.** Écran à cristaux liquides vu à travers un œilleton et qui montre ce qui est visible à travers l'objectif.

**Viseur optique.** Type de viseur qui montre le sujet au travers d'un système optique plutôt que d'un écran de contrôle.

**Yeux rouges.** Défaut d'une image observé quand les pupilles dilatées par l'éclair d'un flash prennent une couleur rouge.

**Zoom.** Type d'optique dans laquelle la longueur focale peut être altérée sans toucher à la mise au point.

# Index

## a

Abstractions
à partir d'événements 320
composer avec la
lumière 359-61
gouttes de pluie et
néon 342-3
graffiti 354, 356-7
monochrome (feuillage) 122
texture 352-5, 358-9
vues abstraites
(architecture) 226-7
Action (photos) 58-63,
*Voir aussi* Mouvement
Angle de prise de vue
action 61
architecture 251, 256
jardins 116
portraits 54
Animaux,
galerie 206-8
portraits d'animaux
domestiques 172-5
*Voir aussi* Chevaux
Appareil photo
accessoires 16-17
choix d'un 14-15
réglages 18-19, 57, 65
réglages priorité
vitesse (TV) 19
Applications commerciales 367
Arbres
feuilles d'automne 139
lumière du soleil à travers
des arbres 132-3
régions boisées
brumeuses 134-5

Arc-en-ciel 137
Architecture
apporter un intérêt
humain 223
focalisation sur les
détails 214-15, 227, 233
forme et espace 216-17
galerie 276-9
intérieurs en basse-
lumière 228-35
lumière disponible 222-3
monuments
historiques 236-41
parallèles conver-
gentes 214, 223, 242
problèmes avec les grands
édifices 237
*Voir aussi* Édifices
vues abstraites 226-7
Arrière-plans
art de plein air 326-7
fêtes d'enfants 289
fleurs 122
nus 98
oiseaux en vol 181
portraits 54, 55, 71, 80, 108
*Voir aussi* Sites
Art (photos)
lumière et couleur 328-9
sculpture 326-7
Assistance, avec photos de
bébé 83
Astronomie, galaxie
(photos) 374
Autofocus (mise au point
automatique) 21, 180
Autoportrait familial 88-9

Autorisations
de photographier des
intérieurs 233
de prendre des portraits 72
Averse 166

## b

Bébés 82-5,
*Voir aussi* Enfants
Bracketing (réglages) 18, 35,
135, 231
Brouillard et brume, régions
boisées 134-5
Brume *Voir* Brouillard
Bulb (utilisation du
réglage de) 33

## c

Cadrage 26-7
architecture 240, 249, 276
cascades 149
ciel de nuit 159
et composition 27
inclinaison de l'appareil
photo 61
instantanés 71
naturel 108, 167
oiseaux 186
paysages 115
photos animalières 175
portes 257
pour action 61
pour donner de l'espace 30

Campagne (photo) 370
Carnavals et
festivals 296-307
Carnet de routes 371
Cartes
flash *Voir* Cartes mémoires
mémoire 17
Cascades 148
Céramique, nature
morte 349
Changements de saison 138
Chevaux 176-9
*Voir aussi* Animaux
Chiaroscuro 74, 75
Cieux 28-9, 31, 156-63
Clair de lune 158-9
Composition (cadrage)
animaux de jardin 188
avec des enfants 57
cadrage et 27
couleur et 36
étales de marché 334-5
fleurs et feuillage 123
natures mortes 344-9
parallèles conver-
gentes 214, 251
photos d'architecture, 225,
251
port de plaisance 154-5
premiers plans 27
vaste espace intérieur 228-9
Compression abstraite,
paysages 165
Contact visuel, importance
du avec des animaux 205
Contraste et ton 44-5

Couleur
ambiance 37, 225
amélioration 103, 120
balance et saturation 42-3
chapelets de prière 361
contrastes de poisson
rouge 186
effet de brume et de
brouillard 135
exposition et 22
feu d'artifice 284-5
feuilles d'automne 139
lumière et 328-9, 336-7
photos de nuit 38-9, 219,
266-7
réglages d'aquarium 204
RVB Adobe 19
trucs et astuces 36-7
d'automne 139
Courses de voiles 314-15

## d

Décisions de format
paysages 148, 150, 155
photos d'architecture 221,
240, 259
Détachement, en tant
qu'observateur objectif 96
Disques durs, portable 17
Distance, comment
montrer 30-31
Diwali 295

## e

**Eau**
brisants 146-7
cascades 148-9
et lumière 60
port de plaisance 154-5
rivière paisible 150-51
**Échelle, indication d'** 135, 141
**Éclairage** 138
des zones sombres 133
spectaculaire 74-5, 109
**Édifices**
de nuit (photos) 216, 218-19, 222-3, 266-7
documentation de projet 368
églises (extérieurs) 214-15, 220-21, 226-17
églises (intérieurs) 230-31, 242-3, 316-17
illuminés 222-3
intérieurs de maison 369
modernes 218-19, 226-7, 232-5
ruines romantiques 224-5
*Voir aussi* Architecture
**Effets stroboscopiques** 372
**Enfants**
au jeu 56-61, 288-9
dans des photos de mariage 293, 295
dans le cadre d'événements 318
fête d'anniversaire 288-9
grandissant d'année en année 84-7
portraits informels 68-9, 85-7, 106, 288-9, 302-3
portraits posés 76-78
*Voir aussi* Bébés
**Espace**
négatif 30, 360
donner une idée d' 30-31
**Essais sur la lumière et la couleur** 336-7
**Étales de marché** 334-5
**Étude de nu** 98-9
**Événements** 280-321
sportifs 312-15
**Exposition**
bracketing 18, 35, 135, 231
couleur et 37
exposition constante 58
feux d'artifice et 284-5
flou et 61
lumière et ombre 57
luminosité et niveaux 40-41
pour vitraux 242-3
scènes de neige 136
trucs et astuces 22-3
*Voir aussi* Mode exposition série

## f

**Festivals et carnavals** 296-307
**Fêtes**
autre perspective 97
des enfants 288-9
instantanés et photos posées 96-7
**Feu d'artifice** 284-5
**Filtre**
netteté 47
Unsharp Mask 47
à gradient 167
polarisants 186, 221, 241
**Flash**
éclairage par-dessous 260, 261
effets stroboscopiques 372
oiseaux en gros plan 183
photographie haute vitesse 375
photos de nuit en extérieur 267, 333
unités de flash supplémentaires 35, 60, 79, 118, 245
**Fleurs et feuillage**
abstraction monochrome 122
arrière-plans 120, 122
dans des portraits 80-81
feuilles d'automne 139
gros plan 118-23
nature morte 346
*Voir aussi* Jardin
**Flou**
et mouvement 62-3, 321, 331, 333
éviter 61
**Fontaines** 244-5

## g h

**Gens**
au travail 72-3
et mouvement 56-63
galerie 106-9
**Graffiti** 354, 356-7
**Grand angle**
faible ISO 261
gros plans 197
nuages 160-61
pour intérieurs 233-5
**Histogramme, niveaux** 40

## i j

**Imagerie satellitaire** 373
**Images**
de vacances 64-5, 92-3
tonales, paysage 130, 150, 165
tonales, Voir aussi Images
manipulation pour contraste et ton 44-5
modifier et affiner 46-7
recadrer et redimensionner 48-9
sauvegarde/téléchargement/présentation 17
Voir aussi Images tonales
**Imprimantes** 17
**Insectes, gros plans** 188

**Instantanés et poses (photos),**
fêtes 96-7
mariages 290-91, 295
portraits 70-73
**Interaction, avec des sujets** 68, 72, 80, 94, 95, 97, 100, 302-3
**Intérieurs de maison** 369
**Jardins** 116-17
nature morte d'outils de jardin 347
*Voir aussi* Fleurs et feuillage

## l

**Lieux, choisir**
côtes rocheuses 146
panoramas de montagne 115
parcs 104-5
port de plaisance 155
pour portraits 94, 100
rivières 150
ruraux 126-7
*Voir aussi* Arrière-plans
**Logiciel de retouche d'image** 46-9
**Londres, Westminster** 236-7
**Lumière** 34-5
abstractions avec 359-61
adoucir 118
couleur et 328-9, 336-7
de compensation (fill-in), débouchage des ombres 123, 245
disponible, voir Lumière du soleil, à travers des arbres 132-3

du soleil, problèmes de
lumière du soleil
directe 64, 103, 105
eau et 60
exposition et 23
intérieurs en basse-
lumière 25, 85, 228-35,
242-3, 308-311
lumière disponible
externe 75, 81, 158-9,
222-3, 241, 258-9, 266-7,
284-5, 326-7, 332-3
lumières mobiles 332-3
mixte naturelle et
artificielle 276
moment du jour et de
l'année et 32-3
photos de nuit 38-9, 219,
266-7, 305
réduction des reflets 155
texture et 22, 352-3
Lune 159

**m**

Maillage, panoramas 129-141
Mains 80-81
Manhattan, depuis le ferry
Staten Island 252-3
Mer
brisants 146-7
Voir aussi Plages
Mise au point
attention 20-21
autofocus (mise au point
automatique) 21, 180

sur des détails 84, 214-15,
227, 233
sur des yeux 77, 101
Mode exposition série 19,
61, 71
Voir aussi Exposition
Mode motorisé
photos d'action 61
portraits spontanés 71
Moments et temps de
narration 103, 105, 147, 287
Monochrome
nus 98
portrait 74
Montagnes 114-15
Monuments historique du
monde 238-41
Motifs
architecture 278
chapelets de prière 361
filets de pêche 350-51
Mouvement
ajouté 151
concerts musicaux, petits 308-9
essais avec flou 62-3, 331,
333
événements sportifs 312-13,
320, 321
gens et 56-63
lumières mobiles 332-3
mise au point automatique
et 21, 180
oiseaux dans l'eau 189
oiseaux en vol 181
ombres et 361
petits animaux 187
phoques dans l'eau 196

réglage ISO 57
scènes de champ de
foire 330-33
subaquatique 203-5
vitesses d'obturation et 32

**n**

Natures mortes 336-7, 344-9
Neige et glace 136
Niveaux 40-41
Noël 302-3
Noir et blanc (photo),
mariages 292
nus 98
paysages 130-31
portrait de baie 78-9
rues 268-9
Nouvel an chinois 307
Nuages 160-63

**o**

Oiseaux
du jardin 184-5
en vol 180-81
exotique, en gros plan 182-3
gros plan de paon 197
Ombres
arbre 140-41
débouchage 123
effets graphiques 34, 254
mouvement et 361
photos d'action 61
Opéra de Sydney 240

**p**

Panoramas 128
Panoramas 128-9
arbres 140-41
reflets 142-3
Panoramique 59, 307, 320,
361
Papillons (gros plans) 188
Paysage
avec des animaux 206
cieux et 28-9, 31
compression abstraite 165
galerie 164-7
guider l'œil 31, 164, 166
industriel 274-5
intérêt humain 135
lignes parallèles 164
noir et blanc 130-31
panorama montagneux 114-15
panoramas 128-9
régions boisées 132-5
rustique 126-7
industriel 274-5
Perspective, aérienne 134-5,
164
Petra 240
Photographie de la vie
sauvage
centre de sauvetage
d'animaux 187, 192-3
depuis une voiture 195
parc safari et zoo 194-201
phoques (photos
d'aquarium) 204-5
près du foyer 186-9

renard 190-91, 361
Voir aussi Animaux
Photographie
aérienne 273
d'éclairs 138
de fleur 118
de foule 296-7, 300-301
de mariage 290-95
haute vitesse 375
infrarouge 374
Kirlian 373
rayons X 375
sous-marine 208
spatiale 373, 374
Pixels, expliqués 15
Plages
cavalier au soleil
couchant 178-9
couleur et texture 114-5
silhouettes 107
vacances 92-3
Voir aussi Mer
Pluie 137
gouttes de pluie 121, 342-3
Points de vue
autres points de vue 97,
229, 297
élevé pour des foules 319
ferme en ruine 127
port de plaisance 155
Poisson
bassin à poisson rouge 186
photos d'aquarium 202-3
Ponts
caractère 246-7
en ombre chinoise 248-9,
277

# Index

Portes 257
Portraits
à distance 104-5, 109
angle de prise de vue 54
animaux domestiques 172-5
arrière-plans 54, 55, 71, 80, 108
autres types de portrait 80-81
dans son contexte 106
demander l'autorisation 72
éclairage spectaculaire 74-5, 109
famille 88-91
formel 76-7, 87, 94-5
gros chats 199-210
groupes 85, 86, 88-93, 106, 320
hippo 198
informel 68-9, 86, 90-91, 100-101, 106, 108, 109, 302-3
instantanés 70-73
lieux 94, 100
lumière disponible 34, 75, 81
noir et blanc 78-9
orienté personnage 100-103
soleil brillant 54-5
spontanés 92-3, 104-5, 109
Voir aussi Bébés
Posemètres 23
Premières de film 321
Premiers plans
cadrage et 27
ciel de nuit 159
côtiers 167

montagnes 115
portraits 94
scènes de rivière 150
scènes rurales 127
Prise de vue au retardateur 21, 88-9
Productions théâtrales 316-17
Voir aussi Représentations
Profondeur de champ 65, 117, 118, 119
Publicité 366-7
Pyramides (Egypte) 241

r

Recadrer et redimensionner 48-9, 99
Redimensionner 48-9
Reflets 338-9
eau 124-5, 142-3, 150, 186, 277, 338, 339
miroirs et surfaces réfléchissantes 233, 235, 264-5, 339, 340-41
rétroviseurs 255
silhouettes dans une flaque 340
vitrines 267
Réglage
longue focale 69, 104-5, 117
priorité AV (priorité ouverture) 19
priorité vitesse (TV) 19

Réglages ISO 18
mouvement et 57
niveaux de lumière et 74, 153
photo aérienne 273
Représentations
théâtre et danse 310-311
Voir aussi Productions théâtrales
Reptiles
lézard 189
serpents 197
Réunions de famille
fêtes des enfants 288-9
formelles (première communion) 286-7
portraits 88-91
RVB Adobe 19

s

Scènes de champ de foire 330-33
Sécurité et assurance 368
Silhouettes 34, 66-7, 107, 206, 248-9, 277
Sites industriels 73
Sites Web 17
Soleils couchants
ciel et terre 156-7
sur une côte rocheuse 152-3
Statue de la Liberté (New-York) 239
Stockage de données 16
Stonehenge 239

t

Taj-Mahal 238
Temps
orageux 139
aspects photographiques 32-3
Texture
abstraite 352-5, 358-9
animaux 175
éclairage et 22
photo noir et blanc 130-31
Tour Eiffel 241
Trépieds 16
Usages pratiques 366-71
Ustensiles de cuisine, nature morte 347
Verrerie, nature morte 336-7, 344-5, 348
Villes
démonstration de rue 300-301
dur et doux juxtaposés 260
fontaines 244-5
gratte-ciel 260-63
Manhattan vu du ferry Staten Island 252-3
paysage urbain de nuit 258-9, 266-7
perspectives insolites 236-7, 264-5, 270-71
photos de rue en noir et blanc 268-9
portes 257
vieux et neuf juxtaposés 250-51

Voir aussi Architecture,
vues de toits 272-3
Westminster, 236-7
Viseurs 15
Vitesses d'obturation 32-3, 148
Vitraux 242-3
Voitures
paysages urbains pris de 270-71
photographiées pour la vente 367
reflets 255, 264-5
vie sauvage prise de 195
Yeux
mise au point et 77, 101
recadrer 193
Zoom 16
numérique 25
compression au téléobjectif 319
études de nu 99
photos d'animaux 208-209
trucs et astuces 24-5

# Crédits photos

Haut : h ; Bas : b ; Gauche : g ; Droite : d ; c : centre

p41 Dorling Kindersley © Barrie Watts hg ; p59 © Doug Blane (www.DougBlane.com) / Alamy h ; p61 Janeanne Gilchrist © Dorling Kindersley hg ; p71 Amit Pashricha © Dorling Kindersley hd ; p84 © Ace Stock Limited / Alamy bg ; p84 © Mick Broughton / Alamy ch ; p84 © D Hurst / Alamy hd ; p85 © David Young-Wolff / Alamy hg, ch, cg ; p85 © Robert Holmes / Alamy bd ; p92/3 Peter Mason ; p98 © blickwinkel / Alamy hd ; p98 © Rob Wilkinson / Alamy cc ; p106 © Jennie Hart / Alamy bg ; p108 Asia Images hg ; p108 © Wolfgang Kaehler / Alamy hd ; p109 © Alice & Max hd ; p109 © Wendy Gray bd ; p136 © Jim Zuckerman / Alamy bg ; p136 © John Terence Turner / Alamy cd ; p136 © Ninette Maumus / Alamy hd ; p137 © David Poole / Alamy hg ; p137 © Thomas Hallstein / Alamy hd ; p138 © ImageState / Alamy ch ; p138 © AT Willett / Alamy hd & cd ; p138 © ImageState / Alamy bg ; p139 Jerry Young © Dorling Kindersley hd, cd ; p139 © Gavin Hellier / Alamy hg, bg ; p139 © Glen Allison / Alamy cb ; p164 © Glen Allison / Alamy bg ; p164 © Robert Harding Picture Library Ltd / Alamy hd ; p165 © Hes Mundt / Alamy hd ; p165 © Jerry Young bd ; p166 © Tom Till / Alamy g ; p167 © Steven Poe / Alamy hg ; p167 Shaen Adey © Dorling Kindersley bg ; p167 © David Bowman / Alamy d ; p178/9 © Mark J Barrett / Alamy ; p185 © Chip Prager hc, bg ; p186 © Chip Prager cd ; p186 Dorling Kindersley © Rowan Greenwood hd ; p187 © Arco Images / Alamy hg, hc, hd ; p187 © Arco Images / Alamy bg ; p188 © Juniors Bildarchiv / Alamy hg, ch, bg ; p206 Dorling Kindersley hd ; p207 Frank Greenaway © Dorling Kindersley ; p208 © ImageState / Alamy hg ; p209 © Images of Africa Photobank / Alamy ; p238 © Jon Arnold Images / Alamy bg ; p239 © Lightworks Media / Alamy cg ; p239 Dave King © Dorling Kindersley ch ; p239 © Liquid Light / Alamy hd ; p239 Michael Moran © Dorling Kindersley bg ; p239 © AA World Travel Library / Alamy cd ; p240 © Graham Knowles / Alamy hd ; p240 © Steve Allen Travel Photography / Alamy cd ; p240 © Wendy Gray bd ; p241 Alistair Duncan © Dorling Kindersley hc, hd ; p241 Nigel Hicks © Dorling Kindersley bg ;

p241 © JLImages / Alamy cb ; p241 © Jon Arnold Images / Alamy bd ; p244 © Kevin George / Alamy hd ; p257 © Wendy Gray g ; p276 Alistair Duncan © Dorling Kindersley hd ; p276 © Scott Gregory Banner / Alamy bd ; p277 © Scottish Viewpoint / Alamy g ; p277 © David Ball / Alamy bd ; p277 © Wendy Gray hd ; p278 © David Ball / Alamy d ; p279 Enrique Uranga © Rough Guides bg ; p279 © Wendy Gray d ; p292 © Royal Geographical Society / Alamy cg ; p292 © J Marshall – Tribaleye Images / Alamy c ; p292 Dennie Cody hd ; p293 © Elvele Images / Alamy hd, cc, cd ; p293 © Cephas Picture Library / Alamy bg, bc ; p295 © Profimedia International sro / Alamy hg, hc, cg ; p295 © Around the World in a Viewfinder / Alamy c, hd ; p295 Nicholas Prior bc ; p298/9 © Oso Media / Alamy ; p304 © Peter Treanor / Alamy g, c ; p304 © Donald Nausbaum / Alamy d ; p305 © Fabrice Bettex / Alamy hg, cg, c ; p305 © Andrew Watson / Alamy hd, cd, bd ; p314/5 © Patrick Eden / Alamy ; p318 © adam eastland / Alamy g ; p318 © Greg Vaughn / Alamy hd ; p318 © Ilene MacDonald / Alamy bd ; p319 © Andrew Paterson / Alamy g ; p319 © Chad Ehlers / Alamy d ; p320 © M-dash / Alamy hg ; p320 © John James / Alamy bg ; p320 © kolvenbach / Alamy d ; p321 © Action Plus / Alamy hg ; p321 © Content Mine International / Alamy bg ; p321 © Apex News and Pictures Agency / Alamy d ; p328/9 © Apex News and Pictures Agency / Alamy ; p367 © Transtock Inc / Alamy h ; p372 © Prof Harold Edgerton / Science Photo Library bg ; p372 © Edward Kinsman / Science Photo Library hd, cd ; p373 © Garion Hutchings / Science Photo Library bg ; p373 © Booth / Garion / Science Photo Library cb ; p373 © Geoeye / Science Photo Library ; p373 NASA / JPL / Space Science Institute ; p374 © Robert Gendler / Science Photo Library h ; p374 © Ted Kinsman / Science Photo Library b, cd ; p375 © Bert Myers / Science Photo Library cg, c, bg ; p375 © Adam Hart-Davis / Science Photo Library d.

Toutes les autres images © Tom Ang.

# Remerciements

**REMERCIEMENTS DE L'AUTEUR**

Cet ouvrage doit sa production et sa création, sur un rythme effréné, aux efforts herculéens de l'éditrice Nicky Munro ; je la remercie cordialement pour son aide sans faille qui s'est prolongée bien au-delà des horaires de service. Félicitations et remerciements à Sand Publishing Solutions (Simon Murrell et David et Sylvia Tombesi-Walton), pour sa mise en page claire et inspirée de milliers d'images et de mots.

Je remercie Andy Mitchell pour la majorité des photos de moi au travail ainsi que Wendy Gray, Nicky Munro et Charlotte Crowther pour les autres.

J'exprime également ma gratitude à celles et ceux qui ont posé pour moi : Emma et John Owen ; Joe, Annabel et Bill Munro ; Priscilla Nelson-Cole ; Michelle Baxter ; Su St Louis ; James, John, Joe et Ed Munro ; Polly, David, Jack, Joe et Billy Packer ; Tracy, Peter, Hayley et Ruby Miles ; Wendy, Gray, Wim Buying, Kyna Gourley, Jenisa Patel, Brownen Parker-Rhodes et Charlotte Crowther. Mille merci, pour leur coopération et leur accueil à : Serafin Domenach de El Arca Animal Sanctuary à Guadalest en Espagne ; Yana Zarifi et ses acteurs pour son accueil aux Perses ; Jose Luis Quesada et Paula Albamonte à la Ciudad de las Artes y las Ciencias de Valence, en Espagne ; Juan Llantada Sacramento de l'Office de tourisme de Valence et Jaime Samcho, conseiller de la cathédrale de Valence pour leur aide à la prise de vue de la cathédrale ; Steve Greenberg au 230 5è avenue New-York ; Jake au Pete's Candy Store de Brooklyn ; Buffalino ; Melinda Manning, assistante du directeur des relations publiques des New-York Botanical Gardens.

Pour leur aide durant les prises de vues de New-York, mes remerciements particuliers à Su St Louis et à l'équiepe de l'office Dorling Kindersley New-York, notamment Chrissy McIntyre et Michelle Baxter.

Un grand merci à Kodak, Canon, Fujifilm, Panasonic et Ricoh pour le prêt de leurs appareils photo. Mes remerciements spéciaux à ceux qui ont aidé à combler les vides dans la couverture photographique, notamment Chip Prager pour ses images d'oiseaux ; ainsi qu'à Wendy Gray, Andy Mitchell, David Summers et Paul Self.

Par-dessus tout, et comme toujours, mes plus amples remerciements vont à Wendy pour son amour et son soutien qui font que tout devient possible.

Tom Ang
Londres

**REMERCIEMENTS DE L'ÉDITEUR**

Dorling Kindersley souhaite remercier, outre tous ceux mentionnés plus haut : Tim Lane et Michael Duffy pour leur travail de mise en page; David Summers, Bob Bridle, Tarda Davison-Aitkins et Simon Tuite pour leur aide éditoriale; John Noble pour la compilation de l'index.